2026年度版

地方公務員 寺本康之の超約ゼミ 大卒教養試験 過去問題集

寺本康之／松尾敦基 著

ちょう-やく【超約】

1 必要な知識が超コンパクトに要約されていること。

2 超厳選された頻出テーマが1冊に集約されているさま。
「——を読んでいたら、過去問も解けた。これで合格できそうだ」

実務教育出版

目次

地方公務員
寺本康之の超約ゼミ
大卒教養試験 過去問題集

自然科学

一般知能

本書の構成と使い方

構成

知識のインプットと問題演習でのアウトプットが1冊でできます。
各章内のテーマは「よく出る順」に配列しています。

超約 ここだけ押さえよう！

テキストページ

まずは知識のインプットをします。

各科目の重要テーマを3つに絞って掲載

1章 政治

01 日本の選挙制度

ランク A

ランクは
A：超頻出
B：頻出
C：出る

超約 ここだけ押さえよう！

ここだけ ① 選挙の5原則

普通選挙，平等選挙，秘密選挙，直接選挙，自由選挙の5つ。

ここだけ ② 選挙の方式

方式名	意義	メリット	デメリット
小選挙区制	• 1つの選挙区から1人当選	• 政権が安定→二大政党制を促進 • 争点が明確 • 費用が比較的安い	• 死票が多い • 「多様な」民意を反映しにくい • ゲリマンダーの危険 ゲリマンダーの危険　恣意的な選挙区割りのことだよ。 • 一票の格差が生じやすい
大選挙区制	• 1つの選挙区から2人以上当選（地方議会議員選挙の多くはこれ）	• 少数政党からも当選者が出やすい • 死票が比較的少ない	• 費用がかかる • 同士討ちの危険 • 当選が偶然に左右される
比例代表制	• 政党の獲得票数に応じて，議席を比例配分する	• 死票が最も少ない • 少数の民意を反映できる	• 小党分立で政権が不安定化

超コンパクトな要約で試験に必要な知識をインプット

ひとことメモで用語の補足

図表で内容を整理

とけ太

公務員受験生の熱気でとけそう。意識低そうに見えるけど，コスパ＆タイパを追求してみんなの合格をサポートするのが使命！

厳選問題

過去問ページ

次に実際に出た問題を解きます。

以下の試験で出題された問題を掲載しています。

平成24年度～令和４年度実施

- 地方上級：地方公務員採用上級試験（都道府県・政令指定都市）
- 東京都：東京都職員Ⅰ類B採用試験
- 特別区：特別区（東京23区）職員Ⅰ類採用試験
- 市役所：市役所職員採用上級試験（政令指定都市以外の市役所）

東京都，特別区は公表された問題を掲載しています。それ以外の問題は，受験生から得た情報をもとに実務教育出版が独自に編集し，復元したものです。また，公開された問題であっても用字用語の統一を行っています。

問題演習で知識を定着

厳選問題

わが国の選挙制度に関する次の記述のうち，妥当なものはどれか。 【地方上級】

1 衆議院議員選挙における比例代表選挙は，全国１区で実施され，投票者は個人名または政党名を記入して投票することになっている。

2 参議院議員選挙では，東北，北陸，中国，四国，九州の５地方に，２県による合同選挙区が存在している。

3 地方公共団体の議会議員の選挙では，地方公共団体を複数の選挙区に分割し，１つの選挙区から１人の議員を選出することになっている。

4 地方公共団体の首長の多選は，法律では規制されていないが，首長の多選制限に関する条例を定めている地方公共団体がある。

5 SNSにおいて候補者や政党に対する誹謗中傷が激化し，選挙の公平性が損なわれるおそれがあることから，インターネットを用いた選挙運動は禁止されている。

22

解説

解説ページ

最後に知識の再確認をします。

正答と解説をチェック

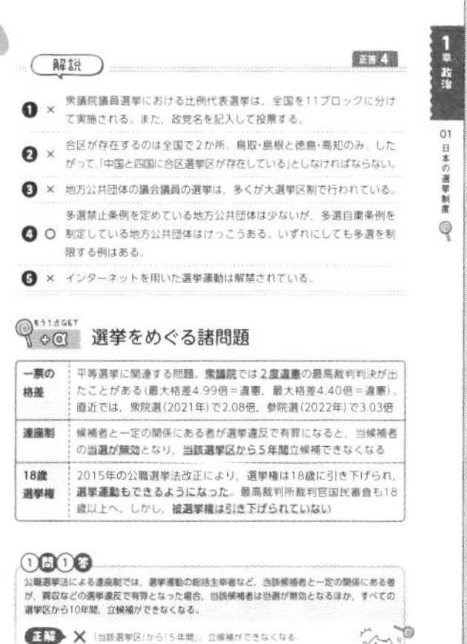

解説 正答 4

1章 政治 01 日本の選挙制度

❶ × 衆議院議員選挙における比例代表選挙は，全国を11ブロックに分けて実施される。また，政党名を記入して投票する。

❷ × 合区が存在するのは全国で２か所。鳥取・島根と徳島・高知のみ。したがって，「中国と四国に合区選挙区が存在している」としなければならない。

❸ × 地方公共団体の議会議員の選挙は，多くが大選挙区制で行われている。

❹ ○ 多選禁止条例を定めている地方公共団体は少ないが，多選自粛条例を制定している地方公共団体はけっこうある。いずれにしても多選を制限する例はある。

❺ × インターネットを用いた選挙運動は解禁されている。

もう1点GET +α 選挙をめぐる諸問題

一票の格差	平等選挙に関連する問題。**衆議院**では**２度違憲**の最高裁判判決が出たことがある（最大格差4.99倍＝違憲，最大格差4.40倍＝違憲）。直近では，衆院選（2021年）で2.08倍，参院選（2022年）で3.03倍
連座制	候補者と一定の関係にある者が選挙違反で有罪になると，当候補者の**当選が無効**となり，**当該選挙区から５年間**立候補できなくなる
18歳選挙権	2015年の公職選挙法改正により，選挙権は18歳に引き下げられ，**選挙運動もできるようになった**。最高裁判所裁判官国民審査も18歳以上へ。しかし，**被選挙権は引き下げられていない**

1問1答

公職選挙法による連座制では，選挙運動の総括主宰者など，当該候補者と一定の関係にある者が，買収などの選挙違反で有罪となった場合，当該候補者は当選が無効となるほか，すべての選挙区から10年間，立候補ができなくなる。

正解 × 「当該選挙区」から「５年間」，立候補ができなくなる。

23

もう1点GET +α プラスして覚えてほしい知識

最後に１問１答にチャレンジ

効果的な使い方

学習スタート期

学習を始めたばかりの時期には，こんな使い方ができます。

➜公務員試験で出る科目を知る　➜苦手科目を見つける
➜出題形式に慣れる

1週間完成！

学習モデル ＜学習スタート期＞

月	火	水	木	金	土	日
1～4章の学習	5～7章の学習	8～12章の学習	13章と16章の学習	14章の学習	15章の学習	総復習

試験直前期

試験まで時間がないときには，こんな使い方ができます。

➜総復習として　➜問題だけを集中して解く
➜最後の追い込みに

1週間完成！

学習モデル ＜試験直前期＞

月	火	水	木	金	土	日
1～4章の学習（1回目）	5～12章の学習（1回目）	13~16章の学習（1回目）	1～4章の学習（2回目）	5～12章の学習（2回目）	13~16章の学習（2回目）	試験日

地方公務員試験ガイダンス

地方公務員とは

地方公共団体の種類／職種と試験区分／部門／組織

試験概要

受験資格／試験の流れと内容／地方上級試験／市役所上級試験

合格するには

競争率／目標点数／併願／SPI3，SCOA／試験の時期

地方公務員とは

地方公共団体で働く公務員のこと。同じ事務系職種でも勤務する地方公共団体や組織によって携わる業務が異なる。

地方公共団体の種類

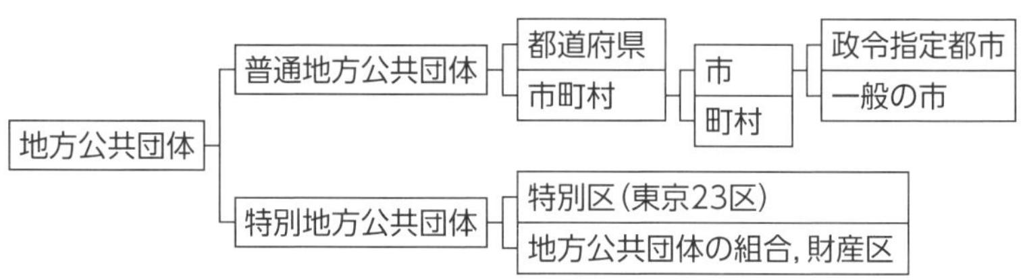

職種と試験区分

職種	試験区分
事務系職種	・行政，行政事務など ・公立学校に勤務する「学校事務」，警察署などに勤務する「警察事務」といった区分を設けている自治体もある
技術系職種	・土木，建築，電気，機械，化学，農業・農学など ・採用後は専門分野の関連部署に配属される
資格免許系職種	・保健師，看護師，臨床検査技師，診療放射線技師，管理栄養士，栄養士，幼稚園教諭，保育士など ・資格や免許が必要な業務に就く
公安系職種	・警察官，消防官（消防職） ・警察官は都道府県の職員，消防官は市役所や消防組合の職員になる（東京消防庁は稲城市と島しょ部を除く東京全域を管轄する）

大卒程度（上級），短大卒程度（中級），高卒程度（初級）と分けて募集がかかることも多い。

部門

※特定の都道府県ではなく，一般的なモデルです。

部門	業務内容
総務部	予算の総括，人事・給与の管理，情報公開，広報活動など
企画部	総合計画の策定，大規模事業の推進など
福祉保健部	地域保険医療・地域福祉活動計画の推進，福祉の充実など
生活環境部	産業廃棄物処理対策，生活排水対策など
農政部	需要変化に対応した農業の推進など
水産林務部	漁業管理，漁港の整備，森林資源・林業基盤作りなど
商工労働部	産業・観光の振興，中小企業の経営支援，雇用対策など
土木部	治水事業・港湾整備事業の推進，道路網の整備など
建築都市部	土地区画整備事業・市街地再開発事業の推進など
企業局	臨海用地の管理，電気事業・工業用水事業の経営など
教育庁	教育文化活動の支援など

市町村には「消防」「清掃」「市営交通」といった部門がある場合も多い。

組織

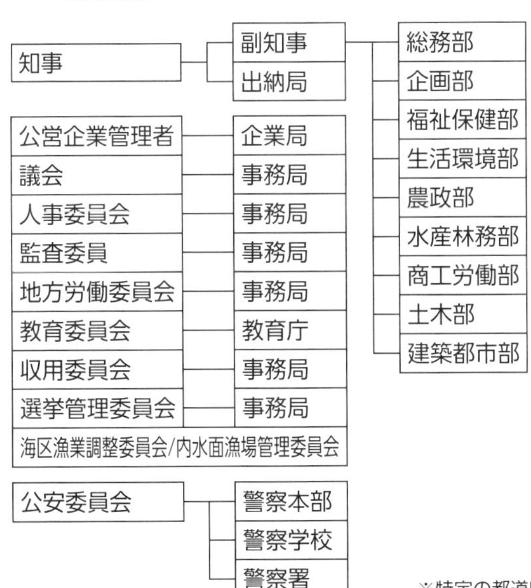

※特定の都道府県ではなく，一般的なモデルです。

試験概要

受験資格

公務員試験は受験の要件を満たせば，学歴など関係なく，誰でも受けることができる。受験料も一部の自治体以外は無料。

主な受験要件	
年齢	自治体によって，上限は異なる。なかには59歳でも受験可能なところもある
学歴	「大卒程度」の試験区分でも，「その学歴相当の学力を必要とする試験」を意味している場合が多い。ただし，ごく一部の試験では卒業や卒業見込みを要件にしている
専攻	専攻が要件になることはまれ。技術系職種や専門職では，業務内容と関連した専攻を要件にしている場合もある
資格・免許	資格免許系職種では，資格や免許を取得（または取得見込み）していることが要件となる。語学等の資格があれば加点されることもある
住所	受験時点ではどこに住んでいてもよい。採用後に「市内に居住または一定時間内に通勤が可能なこと」が求められる自治体もある
身体	消防官などの公安系職種では一定の基準が設けられている場合がある
職歴	受験年齢の上限以下ならば，新卒，既卒を問われることはない。経験者対象の試験では要件に含まれていることが多い

試験の流れと内容

以下のようなプロセスが多い。

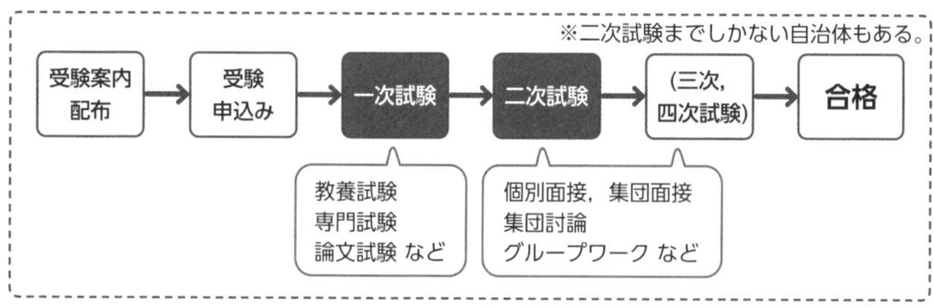

教養試験

五肢択一式のマークシート。主に以下の科目が出題される。

出題分野		出題科目・出題内容
一般知能分野(公務員試験特有の科目)	文章理解	英文，現代文
	判断推理	集合，命題，対応関係，発言推理，空間把握など
	数的推理	覆面算，魔方陣，面積，確率など
	資料解釈	数表，グラフなど
一般知識分野(高校までに学んだ科目)	社会科学	政治，法律，経済，社会(時事を含む)
	人文科学	日本史，世界史，地理，思想，文学・芸術
	自然科学	数学，物理，化学，生物，地学

※自治体によっては教養試験を行わず，SPI3やSCOAを導入しているところもある。

専門試験

試験区分に応じた専門的知識を測る問題。五肢択一式のマークシート形式がほとんどだが，記述式の場合もある。

事務系区分では以下のような科目が出題される。どの科目が何問出題されるかは試験によって異なる。

出題分野	出題科目・出題内容
行政系	政治学，行政学，国際関係，社会学，社会政策，社会事情など
法律系	憲法，行政法，民法，刑法，労働法など
経済系	経済原論，財政学，経済政策，経済事情，経済史，国際経済学，統計学など
商学系	会計学，経営学
その他	心理学，教育学

面接およびその他の試験

論文試験，個別・集団面接，適性検査(性格検査)に加えて，集団討論，グループワーク，プレゼンテーションが課される場合がある。

地方上級試験
〈都道府県・政令指定都市・特別区〉

地方上級試験とは都道府県，政令指定都市，特別区の採用試験の中で，大卒程度の知識，能力が問われるものをさす。試験は自治体ごとのため，実施する自治体により，詳細が異なる。

<table>
<tr><td>試験の名称</td><td colspan="2">・大学卒業程度試験，上級試験，Ⅰ類試験，A試験など自治体によってさまざま</td></tr>
<tr><td rowspan="4">試験の概要</td><td>申込み</td><td>・4月上旬～5月中旬に受験案内の配布，5月上旬~下旬が申込期間の自治体が多い。東京都・特別区など一部の自治体はより早い日程で実施される（一次試験以降も同様）。そのほか，通常枠とは別に早期枠などを設けていたり，秋に実施する試験があったりもする
・申込み方法はインターネット，郵送，持参など。受験案内で指定されている</td></tr>
<tr><td>一次試験</td><td>・6月の同一日に実施する自治体が多い。
・教養試験と専門試験（ともに五肢択一式）が課されることが多い。しかし，専門試験を課さないなど自治体や試験区分によって差異がある（東京都のみ専門試験は記述式）
・論作文を実施する自治体もある</td></tr>
<tr><td>二次・三次試験</td><td>・7月中旬～8月中旬に実施される場合が多い
・個別面接，集団面接，集団討論，グループワーク，プレゼンテーションなどの人物試験が中心
・語学などの資格がある場合，加点される自治体もある</td></tr>
<tr><td>合格発表</td><td>・8月上旬～9月中旬になる場合が多い。特別区の場合は最終合格後に各区の採用面接がある</td></tr>
</table>

市役所上級試験

政令指定都市以外の市の採用試験について説明する。試験構成は市によってさまざまである。また募集状況が突然変更になることもあるので，最新の情報には注意すること。

<table>
<tr><td>試験の名称</td><td colspan="2">・大卒程度など区分を分けているところもあるが，そのような試験区分がないところや，高卒程度（初級）という名称で高卒から大卒までを対象としている場合もある</td></tr>
<tr><td rowspan="4">試験の概要</td><td>申込み</td><td>・4月～翌年2月と採用試験の時期は幅広い。申込期間が短い場合もあるので注意が必要。また，年に複数回の試験を実施する市も増えてきている
・申込方法はインターネット，郵送，持参など。受験案内で指定されている
・申込時にエントリーシートを提出させ，書類審査が通過した場合のみ筆記試験が受けられる自治体もある</td></tr>
<tr><td>一次試験</td><td>・6月中旬～下旬，7月中旬，9月中旬～下旬に実施する自治体が多い。
・教養試験と専門試験（ともに五肢択一式）が課されることが多い
・論作文試験や適性検査（性格検査）を実施する自治体もある</td></tr>
<tr><td>二次・三次試験</td><td>・7月中旬～10月中旬に実施される場合が多い
・個別面接，集団面接，集団討論，グループワーク，プレゼンテーションなどの人物試験が中心
・論作文試験や適性検査（性格検査）を実施する自治体もある</td></tr>
<tr><td>合格発表</td><td>・二次/三次試験の約2週間後～1ヶ月後に発表になる。多くの場合，最終合格＝採用内定と考えてよい</td></tr>
</table>

合格するには

競争率

受験者数は年々減少しているが，合格者数はほぼ変わらない。そのため，競争率も下がってきている。自治体にもよるが，10倍以上になることは少ない。

また，競争率の高さは試験の難しさに直結しない。採用人数の少ない自治体，SPI3・SCOAなどで受験できる試験は倍率が高く見える傾向がある。

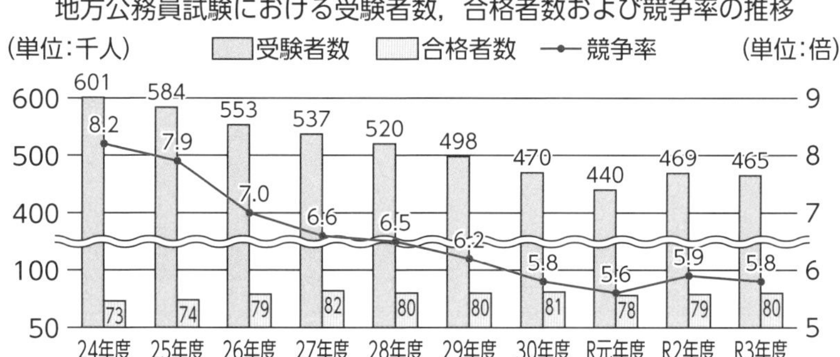

「令和３年度地方公共団体の勤務条件等に関する調査結果」総務省より

（注）本表における「競争率」は，受験者数/合格者数により算出している。

目標点数

教養試験，専門試験では，おおよそ６～７割正答できれば，合格できるといわれる。試験や区分によってはそれ以下でも通過できる場合があるが，自治体によっては各試験に基準点（下限の点数）が設けられており，基準点未満の試験種目が１つでもあると不合格になる。この基準点は教養試験や専門試験だけではなく，論文試験にも設けられていることがある。

併願

日程が重ならなければ，併願は可能である。むしろ，志望先を一つに絞っている場合は少なく，国家公務員や都道府県と市役所（政令指定都市以外）・特別区を併願している人が多い。

併願の例　※日程は令和５年度の筆記試験

日程	試験名
４月30日	東京都Ｉ類Ｂ
６月11日	国家一般職（大卒）
６月18日	○○県
７月９日	○●市
９月17日	●●市

SPI3，SCOA

民間就職で実施されている「SPI3（基礎能力検査）」や「SCOA（基礎能力）」を教養試験の代わりに導入している自治体もある。これらの試験は「特別枠」「新方式」という枠で実施されることも多い。

従来の教養試験との違い

	従来の教養試験	SPI3	SCOA
試験時間	120分	70分	60分
問題数	40問	70問	120問
試験内容	一般知識分野，一般知能分野	言語能力検査，非言語能力検査	言語，数理，論理，常識，英語
試験形式	五肢択一式	選択式，入力式	選択式，入力式
実施場所	会場	テストセンター，Web，会場	テストセンター，Web，会場

※試験時間，問題数，試験内容はペーパーテストの場合。

※試験時間，問題数，試験内容はSCOA-Aの場合。

試験の時期

代表的な日程は以下のとおりである。自治体によっては三次・四次試験まで課すところもある。

	府県・政令市 ※北海道，大阪府，愛知県，名古屋市は例年別日程	東京都Ⅰ類B（一般方式）	特別区Ⅰ類（春試験）	市役所		
				A日程（比較的大きな市に見られる）	B日程	C日程（もっとも多い）
4月		一次試験	一次試験			
5月						
6月	一次試験	二次試験		一次試験		
7月	二次試験	二次試験	二次試験	二次試験	一次試験	
8月	二次試験				二次試験	
9月						一次試験
10月						二次試験

テキスト＆問題演習

社会科学

1章 政治　2章 法律　3章 経済　4章 社会

人文科学

5章 日本史　6章 世界史　7章 地理

自然科学

8章 数学　9章 物理　10章 化学　11章 生物

12章 地学

一般知能

13章 文章理解　14章 判断推理　15章 数的推理

16章 資料解釈

01 日本の選挙制度

超約 ここだけ押さえよう！

ここだけ① 選挙の５原則

普通選挙，平等選挙，秘密選挙，直接選挙，自由選挙の５つ。

ここだけ② 選挙の方式

方式名	意義	メリット	デメリット
小選挙区制	● １つの選挙区から１人当選	● **政権が安定**→二大政党制を促進 ● 争点が明確 ● 費用が比較的安い	● **死票が多い** ● **「多様な」民意を反映しにくい** ● **ゲリマンダーの危険** ゲリマンダーの危険 恣意的な選挙区割りのことだよ。 ● 一票の格差が生じやすい
大選挙区制	● １つの選挙区から２人以上当選（**地方議会議員選挙**の多くはこれ）	● 少数政党からも当選者が出やすい ● **死票が比較的少ない**	● 費用がかかる ● 同士討ちの危険 ● 当選が偶然に左右される
比例代表制	● 政党の獲得票数に応じて，議席を比例配分する	● **死票が最も少ない** ● **少数の民意を反映できる**	● 小党分立で**政権が不安定化**

③ 日本の選挙制度

	衆議院	参議院
任期	4年(**解散**の場合は任期満了前に終了)	6年(**3年ごとに半数改選**)
議員定数	465人(289人は小選挙区，176人は比例代表区)	248人(148人は選挙区，100人は比例代表区)
議員資格	満25歳以上	満30歳以上
選挙区	● 小選挙区制と**拘束名簿式**比例代表制(**全国を11ブロック**) ● 拘束名簿式では，有権者は「**政党名**」を書く ↓ ● **ドント式**で各政党に議席を配分 ↓ ● 名簿上位順に当選を確定 ドント式 各政党の総得票数をそれぞれ1，2，3，4，…と自然数で割っていって，商の大きい順に議席を配分する方式だよ。	● 各都道府県を単位とする選挙区選挙と**非拘束名簿式**比例代表制(**全国を1区**) ● 選挙区選挙は，都道府県ごとに行うが，**合区が存在**する(**鳥取・島根**と**徳島・高知**の2か所) ● 非拘束名簿式では，有権者は**「政党名」か「候補者名」のいずれかを書く** ↓ ● ドント式で各政党に議席を配分 ↓ ● 個人得票数の多い人から順番に当選を確定 ※ただし，「**特定枠**」に名が掲載されている場合は，その人が優先 特定枠 特定枠の候補者は個人としての選挙運動が禁止されているよ。

ここだけ
④ 選挙用語

重複立候補	**衆議院選挙**で小選挙区と比例代表の両方に立候補できる制度（**義務ではない**）
期日前投票	選挙日に用事がある場合に，公示日・告示日の翌日から投票日前日までの間に，**通常どおり指定場所に出向いて**投票する方式
不在者投票	仕事や旅行で住所地以外に滞在中の場合や，病院に入院している場合に，住所地から投票用紙を取り寄せて，**滞在先や入院先の病院から**投票できるようにする制度
ネット選挙運動	インターネットを使った選挙運動 ❶候補者・政党→**ウェブサイト等**と**電子メール**の利用可 ❷一般有権者→**ウェブサイト等**の利用のみ可 ウェブサイト等 ホームページ，ブログ，SNS，動画共有サービス，動画中継サイト等をさすよ。けっこう広いよね。
共通投票所	ショッピングセンターや公共施設などに設けられる。同じ自治体の有権者であれば投票が可能。**市区町村の選挙管理員会の判断**で設置。実施例はたくさんある

ここだけ
⑤ 普通選挙の歴史

（1）制限選挙

日本の選挙制度の歴史は，1889年から始まった。1919年の選挙制度までは，直接国税を収めた男子にだけ選挙権が与えられていた。

1889	**直接国税15円以上**を納める25歳以上の男子のみ。1890年に第1回衆議院選挙が行われた
1900	**直接国税10円以上**を納める25歳以上の男子のみ。1902年に第7回衆議院選挙が行われた
1919	**直接国税3円以上**を納める25歳以上の男子のみ。1920年に第14回衆議院選挙が行われた

(2)普通選挙の実現

男子普通選挙	● **1925年**の選挙法改正で実現(**加藤高明内閣**) ● **25歳以上の男子**に選挙権が与えられた ● 無産政党の勃興(ぼっこう)に備え,**治安維持法**を制定 ● 1928年の選挙から適用
男女普通選挙	● **1945年**の選挙法改正によって実現 ● **20歳以上の男女**に選挙権が与えられた ● 1946年の選挙から適用→女性代議士39名が当選

⑥ 選挙権

	選挙権の条件
衆議院議員・参議院議員の選挙	● 日本国民で満18歳以上であること
知事・都道府県議会議員の選挙	● 日本国民で満18歳以上であり,**引き続き3か月以上その都道府県内の同一の市区町村に住所のある者(住所要件)**
市区町村長・市区町村議会議員の選挙	● 日本国民で満18歳以上であり,**引き続き3か月以上その市区町村に住所のある者(住所要件)**

ここだけ

⑦ 地方選挙の被選挙権

	被選挙権の条件
都道府県知事	● 日本国民で**満30歳以上**であること
都道府県議会議員	● 日本国民で満25歳以上であること ● **その都道府県議会議員の選挙権を持っていること**
市区町村長	● 日本国民で満25歳以上であること
市区町村議会議員	● 日本国民で満25歳以上であること ● **その市区町村議会議員の選挙権を持っていること**

厳選問題

わが国の選挙制度に関する次の記述のうち，妥当なものはどれか。

【地方上級】

1 衆議院議員選挙における比例代表選挙は，全国１区で実施され，投票者は個人名または政党名を記入して投票することになっている。

2 参議院議員選挙では，東北，北陸，中国，四国，九州の５地方に，２県による合同選挙区が存在している。

3 地方公共団体の議会議員の選挙では，地方公共団体を複数の選挙区に分割し，１つの選挙区から１人の議員を選出することになっている。

4 地方公共団体の首長の多選は，法律では規制されていないが，首長の多選制限に関する条例を定めている地方公共団体がある。

5 SNSにおいて候補者や政党に対する誹謗中傷が激化し，選挙の公平性が損なわれるおそれがあることから，インターネットを用いた選挙運動は禁止されている。

解説

正答 4

❶ × 衆議院議員選挙における比例代表選挙は，全国を11ブロックに分けて実施される。また，政党名を記入して投票する。

❷ × 合区が存在するのは全国で２か所。鳥取・島根と徳島・高知のみ。したがって,「中国と四国に合同選挙区が存在している」としなければならない。

❸ × 地方公共団体の議会議員の選挙は，多くが大選挙区制で行われている。

❹ ○ そのとおり。多選禁止条例を定めている地方公共団体は少ないが，多選自粛条例を制定している地方公共団体はけっこうある。いずれにしても多選を制限する例はある。

❺ × インターネットを用いた選挙運動は解禁されている。

もう1点GET +α

選挙をめぐる諸問題

一票の格差	平等選挙に関連する問題。**衆議院**では**２度違憲**の最高裁判決が出たことがある（最大格差4.99倍＝違憲，最大格差4.40倍＝違憲）。直近では，衆院選（2021年）で2.08倍，参院選（2022年）で3.03倍
連座制	候補者と一定の関係にある者が選挙違反で有罪になると，当候補者の**当選が無効**となり，**当該選挙区から５年間**立候補できなくなる
18歳選挙権	2015年の公職選挙法改正により，選挙権は18歳に引き下げられ，**選挙運動もできるようになった**。最高裁判所裁判官国民審査も18歳以上へ。しかし，**被選挙権は引き下げられていない**

1問1答

公職選挙法による連座制では，選挙運動の総括主宰者など，当該候補者と一定の関係にある者が，買収などの選挙違反で有罪となった場合，当該候補者は当選が無効となるほか，すべての選挙区から10年間，立候補ができなくなる。

× 「当該選挙区」から「５年間」，立候補ができなくなる。

厳選問題

わが国の選挙制度に関する次の記述のうち，妥当なものはどれか。 【市役所】

1 衆議院議員総選挙には，小選挙区比例代表並立制が導入されているが，小選挙区と比例区の重複立候補は認められていない。

2 参議院議員通常選挙には，都道府県単位の選挙区選挙と比例代表選挙の並立制が導入されているが，比例代表選挙には拘束名簿方式が採用されている。

3 平等選挙を維持するために，投票価値の格差は衆議院議員総選挙では1.1以内に，参議院議員通常選挙では2.0以内に抑えられている。

4 公職選挙法の改正によって，選挙権年齢が18歳にまで引き下げられ，それに併せて被選挙権年齢も引き下げられた。

5 インターネットを活用した選挙運動が解禁されたが，一般の有権者が電子メールを使用して選挙運動を行うことは，引き続き禁止されている。

解説

正答 5

❶ × 小選挙区と比例区の重複立候補が認められている（重複立候補）。よって，小選挙区で落選しても比例区で復活当選することがある。なお，小選挙区で有効投票数の10分の１以上（供託金没収点）を獲得していないと復活当選はできない。拘束名簿順位が同じ者どうしの優劣（たとえば，第２順位が複数いる場合）は，小選挙区での惜敗率（当選者の得票数に対する落選者の得票数の比率）を基準に当選者を決定する。

❷ × 比例代表選挙は，非拘束名簿式が採用されている。

❸ × 衆議院議員総選挙では約２倍，参議院議員通常選挙では約３倍の格差がある。

❹ × 被選挙権年齢は引き下げられていない。

❺ ○ そのとおり。なりすましを防ぐため，一般の有権者は電子メールを使用した選挙運動を行うことはできない。電子メールを使用できるのは，候補者・政党のみ。

もう1点GET ＋α 在外選挙制度

国外に居住する日本人が**国政選挙**に投票できるようにする制度。投票のためにはまず在外選挙人名簿の登録申請をする必要がある。以前は，衆議院・参議院の比例代表選挙のみ投票ができた。しかし，最高裁判所で違憲判決が出たため，**2007年から比例代表選挙のみならず選挙区選挙まですべて投票可能となった**。同じく在外国民審査も2022年に最高裁判所で違憲判決が出たことを受け，解禁されている。

1問1答

国外に居住する日本人であっても，在外選挙人名簿の登録申請をしたうえで，地方選挙に投票することができる。

正解 ✕ 在外選挙制度は，国政選挙のみ適用される。

02 国際機関

ここだけ① 国際連盟

第一次世界大戦後，**ウィルソン米大統領**の「**平和14か条の原則**」で実現（ヴェルサイユ条約）。**集団安全保障体制**の走りとして期待されたが，欠点だらけで第二次世界大戦を防げなかった。

> 集団安全保障体制
> もともと18世紀後半の哲学者カントの『永遠平和のために』の中で国際平和機構の構想が唱えられていたんだ。

国際連盟の３つの欠点

❶**アメリカが上院の否決で不参加**（**ソ連は遅れて参加，その後除名**）

❷**決議が全会一致**

❸**軍事制裁の欠如**（経済制裁もイタリアのエチオピア侵攻のときしかできなかった）

ここだけ② 国際連合

1945年10月に第二次世界大戦の**戦勝国**で発足（51か国）。現在は193か国が加盟。未加盟は，バチカン市国やコソボなど。**日本は1956年に加盟**。

> 日本は1956年に加盟
> 鳩山一郎内閣がソ連との間で日ソ共同宣言を結んで国交を正常化したから，入れた感じだよ。

ここだけ
③ 国際連合の機関

総会	● 全加盟国が参加 ● **一国一票の原則** ● **原則過半数，重要事項は３分の２以上**の賛成が必要 ● 決議は勧告→法的拘束力なし
安全保障理事会	● **常任理事国（米，英，仏，露，中）５か国**と非常任理事国10か国（任期２年で総会によって選出）の**計15か国** ● 手続き事項は15分の９以上の賛成，**実質事項は常任理事国５か国をすべて含んだ15分の９以上の賛成が必要**（５大国に**拒否権**あり） ● 決議には法的拘束力あり
経済社会理事会	● **15の専門機関**と連携（もう１点GET +α 参照）
信託統治理事会	● 信託統治地域を監督・視察，独立を支援 ● 1994年に**パラオ**が独立→歴史的任務を完了
国際司法裁判所（ICJ）	● **国家**を裁く裁判所 ● **オランダのハーグ**に置かれている ● 判決のみならず，**勧告的意見（法的拘束力なし）**を述べる ● **強制的管轄権がない**→当事国が同意しないと裁判が始まらない ※ 個人の重大犯罪を裁く裁判所としては，ローマ規程に基づく**国際刑事裁判所**（ICC）がある
事務局	● 国連の日常的事務を担当 ● 事務総長は，**安全保障理事会の勧告に基づいて総会が任命。任期は５年**

※PKO（国連平和維持活動）は，国連憲章上の制度ではない。俗に「６章半」の活動といわれる。平和維持軍（PKF）と監視団（停戦監視，選挙監視）の２つ。1988年にノーベル平和賞を受賞。派遣には紛争当事国の受入れ同意が必要。日本は1992年にPKO協力法を作り，カンボジアに初めて自衛隊を派遣。世界はPKO3原則で運用されているが，日本はより厳格にPKO５原則を定めて派遣している。

厳選問題

国際連合に関する記述として，妥当なのはどれか。 【東京都】

1 総会は全加盟国により構成され，一国一票の投票権を持つが，総会での決議に基づいて行う勧告には，法的拘束力はない。

2 国際連合には現在190か国以上の国々が加盟しており，日本は，国際連合が設立された当初から加盟している。

3 安全保障理事会は，常任理事国６か国と非常任理事国10か国によって構成されており，安全保障理事会における手続き事項の決定は，常任理事国だけの賛成で行うことができる。

4 国際司法裁判所は，国際的紛争を平和的に解決することを目的として設立され，現在では，国際人道法に反する個人の重大な犯罪も裁いている。

5 平和維持活動（PKO：Peacekeeping Operations）について，日本は，紛争当事者のいずれかが平和維持隊への参加国に日本を指名していることなど，全部で６つの原則を参加の条件としている。

解説

正答 1

❶ ○ そのとおり。総会の決議は「勧告」。したがって，法的拘束力がない。

❷ × 日本が加盟したのは1956年。設立当初は加盟していない。

❸ × 常任理事国は５か国（米・英・仏・露・中）。また，手続き事項は，15分の９以上の賛成が必要。

❹ × 国際司法裁判所（ICJ）は国家を裁くのみ。個人の重大犯罪を裁く裁判所としては，ローマ規程に基づく国際刑事裁判所（ICC）がある。

❺ × 日本はPKO5原則を参加の条件としている。

もう1点GET ＋α 主な国連専門機関

ILO	国際労働機関	● 1919年に創設。労働問題を扱う ● 国２票，使用者代表１票，労働者代表１票の**三者構成**
UNESCO	国連教育科学文化機関	● 1946年に創立。「異なる文明，文化，国民の間の対話をもたらす条件を創り出すための活動をする」（国連広報センターより） ● **世界遺産**の登録活動（自然遺産，文化遺産，複合遺産）
WHO	世界保健機関	● 人々の健康を増進し保護するための機関 ● **感染症対策**で有名

※自由貿易を推進するWTO（世界貿易機関）や核の平和利用をめざして査察を行うIAEA（国際原子力機関）などもよく出題されるが，これら２つは国連専門機関ではない。

1問1答

国際復興開発銀行（IBRD）と国際通貨基金（IMF）は，国際連合の専門機関である。この両機関は一国一票の多数決制で意思決定を行っている。

✕ 一国一票ではなく，「加重投票制」を採用している。

03 国際政治

超約 ここだけ押さえよう！

ここだけ 1 各国の政治制度

アメリカ	● 厳格な三権分立（大統領制） ● 上下両院は法的には平等。しかし，上院には❶**条約の批准権**（**同意権**）と❷**人事の同意権**あり ● 上院は州の代表で任期６年，**２年ごとに３分の１ずつ改選**（各州**２名**で定数100人） ● 下院は任期２年。**小選挙区制で選出**（**人口比例**で定数435人）。金銭法案先議権あり ● 議会に不信任決議権なし ● 大統領に**議会の解散権なし**，**法案提出権なし**，ただ**教書の送付**（**一般教書，予算教書**）**は可** ● 大統領に**拒否権あり**。これに対して議会は**上下両院で３分の２以上**の賛成があれば拒否権を乗り越えられる ● 大統領は**間接選挙**で選出（三選禁止で**２期８年まで**）。**議員との兼職不可** ● 大統領は非行を犯すと**弾劾裁判で罷免**になる ● 違憲審査制あり。ただ**憲法上の制度ではない**（判例上の制度）
イギリス	● 議院内閣制→ホイッグ党の**ウォルポール**の時代以降確立（責任内閣制として） ● 議会の権威がとにかく高い（**議会主権**） ● **不文憲法**かつ**軟性憲法**の国 ● 上院（貴族院）は**非民選議員**（定数なし，任期なし，国王の任命制） ● 下院（庶民院）は小選挙区制で選出（定数650人） ● **下院優越の原則**が「**議会法**」で確立 ● 下院は**内閣不信任可**。これに対して首相には**下院の解散権**あり。内閣に**法案提出権**あり

下院の解散権
首相の解散権を制限する議会任期固定法は，最近廃止されたよ。

	● 首相は**下院第一党党首がそのまま国王によって任命**される（下院の指名なし） ● 閣僚（大臣）は**全員国会議員**でなければならない ● 野党は「**影の内閣**」を形成→次期政権担当を準備 ● 最高裁判所が2009年からできたが，**違憲審査権なし**
フランス	● **半大統領制**→大統領制だが一部議院内閣制的要素あり ● 大統領は国民の**直接選挙**で選ばれる→国民投票付託権や下院の解散権などの**強大な権限を持つ** ● 大統領選挙と下院選挙では，**２回投票制**を採用 ● 首相は慣例で下院多数党から**大統領が任命**する 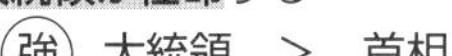 ㊚強 大統領 ＞ 首相 弱 
ドイツ	● 議院内閣制 ● 下院の選挙方式が**小選挙区比例代表併用制**（上院は選挙なし） ● 大統領は**間接選挙**で選ばれる→**権限が形式的・儀礼的** ● **首相の権限が強い**（宰相民主主義） 弱 大統領 ＜ 首相 強 ● **建設的不信任制度** ● **抽象的審査制**を採用 建設的不信任制度 後任の首相を指名しておかないと不信任が出せないんだ。 抽象的審査制 事件とは関係なく違憲審査を行う仕組みだよ。憲法裁判所が置かれているんだ。
中国	● **権力集中制（民主集中制）**を採用→**権力分立が不徹底** ● **全国人民代表大会（全人代）**が最高機関（一院制）。国務院（内閣）や最高人民法院（司法）もあるが，全人代が人事を握る

厳選問題

世界の政治体制に関するＡ～Ｄの記述のうち，妥当なものを選んだ組合せはどれか。【特別区】

Ａ　アメリカの連邦議会は，各州から２名ずつ選出される上院と，各州から人口比例で選出される下院から成り，上院は，大統領が締結した条約に対する同意権を持つ。

Ｂ　アメリカの大統領は，国民が各州で選んだ大統領選挙人による間接選挙によって選ばれ，軍の最高司令官であり，条約の締結権や議会への法案提出権などを持つが，連邦議会を解散する権限はない。

Ｃ　フランスは，国民の直接選挙で選出される大統領が議会の解散権などの強大な権限を有する大統領制と，内閣が議会に対して責任を負う議院内閣制を併用していることから，半大統領制といわれる。

Ｄ　中国では，立法機関としての全国人民代表大会，行政機関としての国務院，司法機関としての最高人民法院が設けられており，厳格な権力分立制が保たれている。

1　A，B

2　A，C

3　A，D

4　B，C

5　B，D

解説

正答 2

A ○	そのとおり。上院は州の代表なので，各州から２名ずつ選出され，条約の批准権（同意権）を持っている。
B ×	大統領には法案提出権はない。教書の送付権があるのみ。
C ○	そのとおり。フランスの大統領は国民の直接選挙で選出される。
D ×	厳格な権力分立制はとられていない。むしろ権力集中制（民主集中制）がとられている。

もう1点GET +α 権力分立論と法の支配

ロック（英） **『市民政府二論』**	議会→立法権　君主（国王）→行政権，同盟権（連合権） ※ 議会の**立法権を優位**にさせた。**英の議院内閣制**に影響
モンテスキュー（仏） **『法の精神』**	立法権，行政権，司法権の分立を唱えた（**三権分立**） ※ **厳格な三権分立**。**アメリカの大統領制**に影響
法の支配 →英米系の考え方	立法権をも含めた**すべて**の権力を**「法」**で拘束し，権力の暴走を防ぐ。「法」は**内容の合理性**が求められる。コモン・ロー（慣習法）優位 →1606年に裁判官**エドワード・コーク**が13世紀の法学者**ブラクトン**の言葉を引用し，国王を諫（いさ）めたのが起源
法治主義 →ドイツなどの大陸系の考え方	**形式的な議会制定法**で行政権・司法権に歯止めをかけて権力の暴走を防ぐ。**法内容の合理性が担保されず**→「**悪法も法なり**」

1問1答

法治主義は，イギリスで発達した考え方であり，法の形式よりも法の内容を重視した原則である。法律によれば個人の自由も制限可能であるという意味を含んでいた。

正解 ×　法治主義はドイツで発達した考え方。法の内容よりも形式を重視する。法律によれば個人の自由も制限可能であるという点は正しい。

04 国会

超約 ここだけ押さえよう！

ここだけ 1 衆議院の優越

衆議院の優越は２つ。権限の優越と議決の優越。

法的拘束力のある不信任決議
参議院も不信任決議を出せるけど、法的には意味がないよ。
ぶっちゃけ無視できる。

(1)権限の優越

「法的拘束力のある不信任決議」と「予算先議権」の２つ。衆議院のみが持つ権限。

(2)議決の優越

❶法律の議決、❷予算の議決、❸条約の承認の議決、❹内閣総理大臣の指名の議決の４つがある。❶だけ特殊で再議決が必要。

❶ 法律

議決が異なった→両院協議会(任意的)→衆議院の出席議員の３分の２以上の多数で再議決

参院が放置(60日超)→否決とみなすことができる

---

❷ 予算
❸ 条約
❹ 指名

議決が異なった→両院協議会(必要的)→衆議院の議決がそのまま国会の議決

参院が放置
- 予算・条約→30日超
- 首相指名 →10日超

※その他の議決(憲法改正の発議など)には衆議院の優越はない。憲法改正の発議は，各議院の総議員の３分の２以上の賛成をもって国会が行う。

ここだけ
② 国会議員の特権

不逮捕特権	● 国会議員は、法律の定める場合を除いて、国会の会期中は逮捕されない ● 会期前に逮捕された議員は、議院の要求があれば、会期中は釈放しなければならない	法律の定める場合 ❶ 院外の現行犯罪、 ❷ 所属する議院の許諾 がある場合だよ。
免責特権	● 国会議員は、議院で行った演説、討論または表決について、院外で責任を問われない	院外で責任を問われない 院内懲罰は当然ありうるよ。 法的責任が免責の対象なので 民事責任や刑事責任は問われない。でも政治責任(政党からの除名処分など)は 免責の対象外だよ。
歳費受領権	● 歳費は法律事項→法律を変えれば減額可能	

ここだけ
③ 国会の会期

	通常国会（常会）	臨時国会（臨時会）	特別国会（特別会）
召集原因	● 毎年1月中に召集される	❶内閣が必要とするとき→召集は任意 ❷いずれかの議院の総議員の4分の1以上の要求があるとき→召集は義務	衆議院の解散の日から40日以内に総選挙を行い、総選挙の日から30日以内に召集される ※この間に緊急事態が起こった場合は参議院の緊急集会を内閣が求めることができる
会期	150日	両議院の一致で決定	両議院の一致で決定
会期の延長	1回だけ可	2回まで可	2回まで可

2章 法律
04 国会

厳選問題

日本国憲法に規定する衆議院の優越に関する記述として，妥当なのはどれか。　【特別区】

1　法律案および予算については，衆議院に先議権があるため，参議院より先に衆議院に提出しなければならない。

2　参議院が，衆議院の可決した法律案を受け取った後，国会休会中の期間を除いて60日以内に議決しないときは，直ちに衆議院の議決が国会の議決となる。

3　参議院が，衆議院の可決した予算を受け取った後，国会休会中の期間を除いて30日以内に議決しないときは，衆議院は，参議院がその予算を否決したものとみなすことができる。

4　条約の締結に必要な国会の承認について，衆議院で可決し，参議院で衆議院と異なった議決をした場合に，衆議院で総議員の３分の２以上の多数で再び可決したときは，衆議院の議決が国会の議決となる。

5　内閣総理大臣の指名について，衆議院と参議院とが異なった議決をした場合に，両院協議会を開いても意見が一致しないときは，衆議院の議決が国会の議決となる。

解説

正答 5

❶ × 法律案に衆議院の先議権はない。先議権があるのは予算の場合だけ。

❷ × 法律案の場合に参議院が議決しないときは、参議院が法律案を否決したものとみなすことができる。直ちに衆議院の議決が国会の議決となるわけではない。

❸ × 否決したものとみなすことができるのは、法律案の場合。予算の場合は、そのまま衆議院の議決が国会の議決となる。

❹ × 条約の承認の議決が異なった場合に再議決は必要ない(再議決が必要なのは法律案の場合だけ)。両院協議会を開いて、意見が一致しないときは、衆議院の議決がそのまま国会の議決となる。

❺ ○ そのとおり。再議決が必要ないというのがポイント。

もう1点GET +α その他の重要事項

規則制定権	各議院は、会議その他の手続および内部の規律に関する**規則を定めることができる**
議員懲罰権	各議院は、院内の秩序を乱した議員を懲罰できる。ただ、除名は重大なので、**出席議員の3分の2以上**の多数の議決が必要
国政調査権	各議院は、国政を調査するため、証人の**出頭・証言・記録の提出**を求めることができる。虚偽の証言には**罰則あり**

1問1答

両議院は、おのおの国政に関する調査を行い、これに関して、証人の出頭および証言ならびに記録の提出を要求することができるが、その証人が虚偽の証言をしても罰則はない。

正解 × 虚偽の証言をした場合には罰則あり。

05 国会以外の統治機構

超約 ここだけ押さえよう！

① 内閣

任意に任免
閣議決定がいらないという意味だよ。

内閣総理大臣	● **国会議員**の中から**国会が指名→天皇が任命** ● **首長**(大日本帝国憲法下では「同輩中の首席」) ● 国務大臣を**任意に任免**する ● 内閣を代表して議案(**法律案含む**)を国会に提出，一般国務・外交関係について国会に報告，行政各部を指揮監督
国務大臣	● **過半数は国会議員**でなければならない ● 内閣総理大臣の同意がないと訴追されない
その他の規定	● 内閣は，国会に対し**連帯して責任を負う**(議院内閣制) ● 内閣総理大臣と国務大臣は，全員文民でなければならない(**文民統制**＝シビリアン・コントロール) ● 内閣は，任意に総辞職できるが，❶**内閣総理大臣が欠けたとき**，❷衆議院議員総選挙の後に初めて**国会の召集があったとき**などは，総辞職をしなければならない(義務) ● 内閣は，総辞職後も新たに内閣総理大臣が任命されるまで**引き続きその職務を行う**(総辞職後内閣)

内閣総理大臣が欠けたとき
死亡したり，国会議員の地位を失ったりした場合をいうよ。一時的な病気や生死不明は含まれないよ。

② 司法

(1)裁判所の種類

憲法は最高裁判所と下級裁判所に分けている。下級裁判所は，**法律上**，高等裁判所，地方裁判所，家庭裁判所，簡易裁判所とされている。**すべての裁**

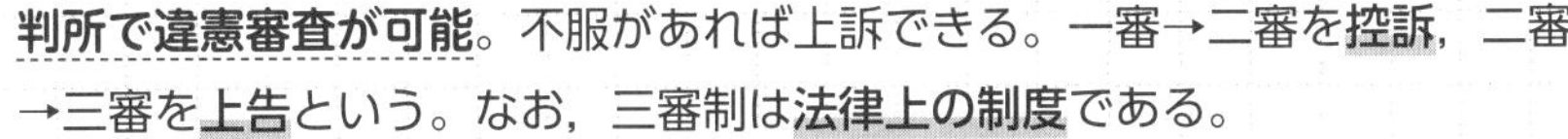

判所で違憲審査が可能。不服があれば上訴できる。一審→二審を控訴，二審→三審を上告という。なお，三審制は法律上の制度である。

	最高裁判所裁判官	下級裁判所裁判官
任期	なし	10年（再任されることもできる）
国民審査	あり	なし
選任方法	長官→内閣が指名，天皇が任命 その他の判事→内閣が任命，天皇が認証	最高裁判所の指名した者の名簿により内閣が任命（高等裁判所長官のみ天皇が認証）

（2）特別裁判所の禁止と司法権の独立

特別裁判所の禁止	● 特別裁判所は，設置することができない（家庭裁判所は通常の裁判所なので特別裁判所ではない） ● 行政機関は，終審として裁判を行うことができない
司法権の独立	● 最高裁判所は規則制定権を有する（下級裁判所に委任可） ● 裁判官の懲戒処分は，行政機関が行うことができない ● 罷免事由が限定→❶心身の故障（分限裁判）と❷公の弾劾（弾劾裁判）の２つ。ただし，最高裁判所裁判官はこれに加えて，❸国民審査による罷免あり 国民審査による罷免あり 衆議院議員選挙のときに，ダメな裁判官に対して×をつける方式だよ。 ● 裁判官は，その良心に従い独立してその職権を行い，憲法と法律にのみ拘束される。良心は客観的良心

ここだけ

③ 裁判員制度

重大な刑事事件の第一審で，くじで選ばれた裁判員６名と裁判官３名が一緒になって事実認定を行い，有罪・無罪の決定と量刑の決定を行う制度。裁判員は証人尋問や被告人質問もできる。

厳選問題

わが国の内閣および内閣総理大臣に関する次の記述のうち，妥当なものはどれか。 【地方上級】

1 内閣は，内閣総理大臣およびその他の国務大臣で組織され，行政権の行使については個々の国務大臣が国会に対して個別に責任を負う。

2 内閣総理大臣は，内閣を代表して議案を国会に提出する権限を有するが，ここにいう議案には法律案は含まれない。

3 内閣は政令を制定する権限を有するので，法律の委任に基づく命令だけでなく，法律の根拠に基づかずに法律から独立した命令を発することもできる。

4 国務大臣が内閣の定める方針に反する行動をとることで閣内不統一となった場合には，内閣は総辞職しなければならない。

5 内閣総理大臣が死亡し，または国会議員としての地位を失った場合には，内閣は総辞職しなければならない。

解説

正答 5

❶ × 行政権の行使については，内閣が国会に対して連帯責任を負う。

❷ × 「議案」には法律案も含まれる。

❸ × 法律の根拠に基づかずに発する独立命令は認められていない（もう1点GET +α参照）。

❹ × 閣内不統一となった場合は，内閣総理大臣が内閣の定める方針に反する行動をとった国務大臣を罷免すればよい。総辞職しなければならない場合は，内閣総理大臣が欠けたとき，衆議院議員総選挙の後に初めて国会の召集があったときなど。

❺ ○ そのとおり。内閣総理大臣が死亡したり，国会議員としての地位を失ったりした場合は「内閣総理大臣が欠けたとき」に当たる。よって，内閣は総辞職しなければならない。

もう1点GET +α 内閣の権限で大切なもの

❶法律の誠実な執行と，国務の総理。

❷条約を締結。ただし，**事前**に，時宜（じぎ）によっては**事後**に，**国会の承認**を経る必要あり。

❹**予算の作成と国会への提出**（衆議院に先に提出→予算先議権）。

❺**政令の制定**。ただ，**法律の委任が必要**（委任があれば罰則も可）→法律の委任を欠く**独立命令は不可。**

❻恩赦（大赦，特赦，減刑，刑の執行の免除および復権）の**決定**（認証は天皇が行う）。

1問1答

内閣総理大臣は，条約の締結権を有するが，事前に必ず国会の承認を得なければならない。

正解 ✕ 条約の締結権は「内閣」の権限。また，事後の承諾でもかまわない。

厳選問題

わが国の裁判所および司法制度に関する記述として，妥当なのはどれか。　【特別区】

1 日本国憲法は，すべての司法権は，最高裁判所および法律の定めるところにより設置する下級裁判所に属し，下級裁判所には高等裁判所，地方裁判所，家庭裁判所，簡易裁判所，行政裁判所があると定めている。

2 裁判官は，裁判により心身の故障のため職務を執ることができないと決定された場合に限り罷免され，行政機関は裁判官の懲戒処分を行うことができない。

3 最高裁判所は，訴訟に関する手続，弁護士，裁判所の内部規律および司法事務処理に関する事項について，規則を定める権限を有する。

4 内閣による最高裁判所の裁判官の任命は，その任命後初めて行われる参議院議員選挙の際，国民の審査に付さなければならない。

5 裁判員制度は，重大な刑事事件および民事事件の第一審において導入されており，原則として有権者の中から無作為に選ばれた裁判員６人が，有罪・無罪と量刑について，３人の裁判官と合議して決定する。

解説

正答 3

❶ × そもそも行政裁判所なんて存在していない。なお，下級裁判所の種類は裁判所法で定められているので，「日本国憲法は」という主語も間違い。

❷ × 裁判官は，心身の故障以外にも公の弾劾で罷免されうる。また，最高裁判所裁判官については，これらに加え，国民審査による罷免もありうる。

❸ ○ そのとおり。規則制定権の話であって正しい。

❹ × 「参議院議員選挙の際」ではなく，「衆議院議員選挙の際」である。

❺ × 裁判員制度は刑事事件にのみ導入されている。民事事件には導入されていない。

もう1点GET +α

検察審査会制度と再審制度

検察審査会制度	有権者から無作為で選ばれた11人の検察審査員が検察官の不当な**不起訴処分**の当否を審査する制度。再審査後に**起訴議決**が出ると，**指定弁護士**が起訴をしなければならなくなる（**強制起訴**）
再審制度	刑事事件で確定判決が出された後に，新証拠が出てきたときなどに，**有罪の言渡しを受けた者の利益のために行われる再審理**。再審で**無罪になった例もけっこうある** 有罪→無罪○（利益再審） **無罪**→**有罪**×（**不利益再審**） ※ ちなみに民事事件や行政事件にもある

1問1答

再審請求は，刑が確定しても判決のもととなった事実の認定に合理的な疑いがあるような新たな証拠が発見されたときに，裁判のやり直しを請求できる制度であり，死刑判決に対してだけでなく，無罪判決に対しても再審請求できる。

正解 ✕ 無罪判決に対してはできない（不利益再審になってしまうから）。

06 基本的人権

ここだけ① 新しい人権

プライバシー権	自己に関する情報をコントロールする権利。請求権的側面は抽象的権利なので具体化立法が必要だが，**個人情報保護法**が具体化立法として存在。ただし「プライバシー権」という文言は明記されていない
アクセス権	自己の意見をマスメディアに掲載せよと請求する権利。反論文掲載請求権など。判例は具体的な**成文法がない限り認められない**としている
自己決定権	私的な事柄を自ら決定できる権利。尊厳死や宗教上の輸血を拒否する権利など ● エホバの証人輸血拒否事件→輸血を拒否する意思決定を無視して勝手に輸血することは**人格権を侵害する**
パブリシティ権	顧客吸引力を排他的に利用する権利。**人格権に由来する権利**の一内容を構成する
環境権	● 大阪空港公害訴訟→航空機の夜間飛行の民事の差止め×　**過去の損害の賠償**○　将来の損害の賠償× ● 国立マンション訴訟→景観利益は保護に値するが，本件建物が景観利益を**違法に侵害しているとはいえない**

※「意思に反して身体を傷づけられない自由」について，**性同一性障害特例**法は性別変更をする際に生殖機能をなくす手術を受けなければならないとしていた点が**違憲**。

※「知る権利」は，表現の自由の一環として保障される。**情報公開法**が具体化立法。内容としては「何人」も情報開示請求ができるとされている。ただし，**「知る権利」という文言は明記されていない。**

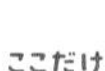

② 法の下の平等

尊属殺重罰規定違憲判決 →尊属殺人が極端に重い	尊属の尊重報恩という**立法目的は合理的**だが，**加重の程度が極端**すぎるので**違憲**
国籍法違憲判決 →非嫡出子の国籍取得が極端に制限されていた	**立法目的は合理性**だが，**手段に合理的関連性がない**ので**違憲**
非嫡出子相続分差別違憲決定 →非嫡出子の相続分が不当に差別されていた	**子を個人として尊重しなければならない**ので，**違憲**
再婚禁止規定違憲判決 →女性のみ再婚禁止期間6か月が設けられていた	父性の重複を回避するためなら，100日の再婚禁止期間で足りる。よって，**100日超過部分は違憲**（100日までの期間は合憲）
旧優生保護法違憲判決 →不妊治療を強制していた	生殖機能の喪失という**重大な犠牲を伴う**ため，憲法13条，14条に反し違憲

※ほかにも，投票価値の平等（一票の格差）について，衆議院選挙において，2度違憲判決が出たことがある。

③ 社会権

生存権 →1919年に**ヴァイマル憲法**で初めて規定	健康で文化的な最低限度の生活を営む権利 ● 朝日訴訟→**国の責務**を宣言。**直接個々の国民に具体的な権利を付与したものではない** ● 堀木訴訟→どのような立法措置を講じるかは，立法府の広い裁量。**裁量の逸脱・濫用がない限り**，裁判所の審査判断に適しない
教育を受ける権利	子どもの教育内容の決定権（教育権）は，**家庭・教師・国にそれぞれに帰属**。義務教育の無償は，**授業料のみ**の無償をさす
労働基本権	団結権，団体交渉権，団体行動権（争議権）の三権（**労働基本権**）。労働組合法で具体化。効果は**刑事免責と民事免責**。公務員も**勤労者**なので保障されているが，**法律で制限されている**。特に，争議行為は**一律に禁止**されている

厳選問題

社会権に関する次の記述のうち，判例に照らし，妥当なものはどれか。 【地方上級】

1 憲法25条１項は，すべての国民が健康で文化的な最低限度の生活を営みうるように国政を運営すべきことを国の責務として宣言したにとどまり，直接個々の国民に対して具体的権利を付与したものではない。

2 憲法25条の規定の趣旨に応えて具体的にどのような立法措置を講ずるかの選択決定は，立法府の広い裁量にゆだねられており，裁判所が審査判断する余地のない事柄である。

3 子どもの教育内容の決定権は，親を含む国民全体にあるから，国は教育内容について決定する権能を有しない。

4 憲法26条２項後段の義務教育は無償とするとの規定は，授業料および教科書費用を無償としなければならないことを定めたものである。

5 公務員は，私企業の労働者とは異なり，使用者との合意によって賃金その他の労働条件が決定される立場にないから，憲法28条の労働基本権の保障は公務員に対しては及ばない。

解説

正答 1

❶ ○ そのとおり。朝日訴訟の判旨のまま。国の責務なので，国民に対して具体的権利を付与したものではない。

❷ × 「余地のない」という部分が誤り。裁量の逸脱・濫用がない限り，裁判所の審査判断に適しないというのが判例（堀木訴訟）。

❸ × 子どもの教育内容の決定権は，家庭，教師，国に分属している。必要かつ相当と認められる範囲において，国も決定権を有する。

❹ × 授業料のみが無償。教科書費用を無償としなければならないわけではない。

❺ × 公務員にも労働基本権の保障は及ぶ。しかし，法律で制限されている。

もう1点GET +α

人身の自由

令状主義	● 現行犯・準現行犯・緊急逮捕以外では，**令状**が必要 ● 侵入・捜索・押収は，**逮捕の場合を除いて**，**令状**が必要
証人審問権・証人喚問権	● 被告人は，**すべての証人**に審問する機会を与えられる ● **公費で**自己のために証人を求める権利を持つ
自白法則・補強法則	● **❶強制・拷問・脅迫による自白**，**❷不当に長く抑留・拘禁された後の自白**は，証拠とすることができない（自白法則） ● **本人の自白**しか証拠がなければ，有罪とされない（補強法則）

1問1答

何人も，刑事被告人となった場合には，すべての証人に対して審問する機会を十分に与えられ，自費で自己のために強制的手続により証人を求める権利を有する。

正解 ✕ 「自費」ではなく，「公費」である。

07 財政制度・租税制度

超約 ここだけ押さえよう!

ここだけ① 財政の機能

❶**資源配分機能**:**公共財**を提供する

❷**所得再分配機能**:累進課税制度や社会保障給付などを通じて所得を再分配

❸**経済安定化機能**:

好況期	不況期
●**増税**・公共投資**減**(**フィスカルポリシー**) ●累進課税率**上昇**・社会保障給付**減**(**ビルトイン・スタビライザー**)	●**減税**・公共投資**増** ●累進課税率**低下**・社会保障給付**増**

ここだけ② 国債

(1)種類

建設国債	インフラの原資として発行する国債。**財政法4条の根拠あり(建設国債の原則)**。1966年度以降毎年発行
特例国債(赤字国債)	短期的な財源不足を補うために，毎年**特例法**を作って発行する国債。1965年度に一度発行し，1975年度から継続的に発行(1990～1993年度の間は発行していない)

特例国債(赤字国債)
日本の場合は建設国債が少なく，**特例国債が多い**んだよ。

(2)市中消化の原則

原則として，国債は**日銀以外の金融機関が買い取る**→ただし，一定期間経過後の国債を日銀が市場から買うことは許される(市中消化の原則の例外)。

(3)問題点

クラウディング・アウト	政府が大量に国債を発行すると，**市中金利が上昇**し，民間投資が抑制される
インフレーション →リスクの高まり	市場に流通する貨幣量が増加すると，物価が上がり，**貨幣価値が低下**する。**預貯金は実質的に減少**する
財政の硬直化	政府は自由に**財源が使えなくなる**
将来世代への負担転嫁	**負担を将来世代に先送り**する

ここだけ

③ 租税の種類

税金を納める義務のある人(納税者)と，税金を負担する人(担税者)が

同じ　→直接税

異なる　→間接税

		直接税		間接税
国税		**所得税**，**法人税**，**相続税**，**贈与税**など		**消費税**，**酒税**，**揮発油税**，たばこ税，関税，**印紙税**など
地方税	道府県税	道府県民税，**事業税**，**自動車税**(軽自動車除く)，**不動産取得税**など	道府県税	**地方消費税**，道府県たばこ税，**軽油引取税**など
	市町村税	市町村民税，**固定資産税**，**軽自動車税**など	市町村税	市町村たばこ税，**入湯税**など

※**垂直的公平**とは，所得の多い人にはより大きな負担を求めることが公平であるという考え方。
水平的公平とは，同程度の所得の人には同じ負担を求めるのが公平であるという考え方。

厳選問題

国債に関する次の記述のうち，下線部が妥当なものはどれか。

【市役所】

1 政府が財源を賄う手段には増税や国債発行がある。このうち，現在の世代から将来の世代へ負担が転嫁されやすいのは<u>増税</u>である。

2 国債が大量に発行され，中央銀行がこれを引き受けると，通貨の増発による<u>デフレーション</u>を招く可能性が高まる。

3 国債が増大して資金需要が増加したり，国の財政の持続性への可能性に対する懸念が強まったりすると，国債の価値は下落しやすく，金利が<u>上昇</u>しやすくなる。

4 国債の発行残高が増大すると，国債の償還費や利払い費も増大し，事務などに充てることができる財源が<u>多くなる</u>。

5 国債には建設国債と赤字国債がある。1990年代以降に起きた人口構成の変化などを受けて，現在では，日本の国債発行残高は<u>建設国債</u>のほうが多くなっている。

解説

正答 3

❶ × 現在の世代から将来の世代へ負担が転嫁されやすいのは，国債発行である。

❷ × 国債を日銀が引き受けると，通貨の増発によりインフレーションを招く可能性がある。

❸ ○ そのとおり。国債を増大すると，政府に資金が集まり，市場に出回る通貨が減るため，金利が上昇しやすくなる（クラウディング・アウト）。

❹ × 国債の発行残高が増大すると，国債の償還費や利払いも増大するので，事務などに充てる財源が少なくなる（財政の硬直化）。

❺ × 日本の国債発行残高は圧倒的に特例国債（赤字国債）のほうが多い。

もう1点GET +α

財政用語

プライマリーバランス	「税収＋税外収入」から「国債の元本返済や利子の支払い」を差し引いたもので，「**基礎的財政収支**」ともいう。**赤字が続いている**ことが問題視されている
財政投融資	国債の一種である**財投債**の発行などで調達した資金を財源として国が行う融資活動。昔は「**第二の予算**」と呼ばれていた
地方財政計画	全地方自治体の普通会計を合算した見込額。95兆円規模で**国の予算よりも小さい**
財政再生団体	財政状況が悪化し，国の指導のもと，財政再建を行う団体。全国では**北海道夕張市**のみ

1問1答

近年，国と地方を合わせたプライマリーバランスは黒字化を達成した。

正解 ✕ 赤字のままであり，黒字化目標は達成できていない。

厳選問題

下図は，わが国の主な租税の種類を示した図である。空欄A～Dに当てはまる租税の種類の組合せとして，妥当なのはどれか。

【東京都】

主な租税の種類

<table>
<tr><td colspan="2"></td><td>直接税</td><td>間接税</td></tr>
<tr><td colspan="2">国税</td><td>所得税
法人税
A</td><td>消費税
C</td></tr>
<tr><td rowspan="2">地方税</td><td>道府県税</td><td>道府県民税
B</td><td>地方消費税
D</td></tr>
<tr><td>市町村税</td><td>市町村民税</td><td>市町村たばこ税</td></tr>
</table>

	A	B	C	D
1	印紙税	相続税	酒税	入湯税
2	相続税	自動車税	酒税	軽油引取税
3	相続税	揮発油税	印紙税	入湯税
4	自動車税	軽油引取税	印紙税	不動産取得税
5	自動車税	事業税	軽油引取税	都市計画税

解説

正答 2

Ⓐ 相続税	印紙税は国税で間接税，自動車税は地方税（道府県税）で直接税。
Ⓑ 自動車税	相続税は国税で直接税，揮発油税は国税で間接税，軽油引取税は地方税（道府県税）で間接税，事業税は地方税（道府県税）で直接税。
Ⓒ 酒税，印紙税	軽油引取税は地方税（道府県税）で間接税。
Ⓓ 軽油引取税	入湯税は地方税（市町村税）で間接税，不動産取得税は地方税（道府県税）で直接税，都市計画税は地方税（市町村税）で直接税。

もう1点GET +α

日本の予算の構造

近時の日本の予算の構造は以下の特徴を持つ。

歳入	● 全体の約３割程度が公債（公債依存度が高い） ● 国債残高は1,000兆円超え（国債＋地方債になると1,200兆円超え） ● 新規国債発行額は**建設国債＜特例国債** ● 税収は約6割程度で，多いほうから**消費税→所得税→法人税**の順
歳出	● 総額は110兆円超え ● 社会保障関係費が約３分の１を占める ● 社会保障関係費，国債費，地方交付税交付金の３大支出項目で約７割 ● 近時，防衛費が上昇傾向

1問1答

国の一般会計当初予算において，税収として一番多いのは所得税であり，法人税，消費税と次ぐ。

✕ 消費税→所得税→法人税の順である。

08 消費者と生産者

ランク B

超約 ここだけ押さえよう！

① 需要曲線と供給曲線

*D*が需要曲線（右下がり），*S*が供給曲線（右上がり）。*DS*の交点が市場均衡点。

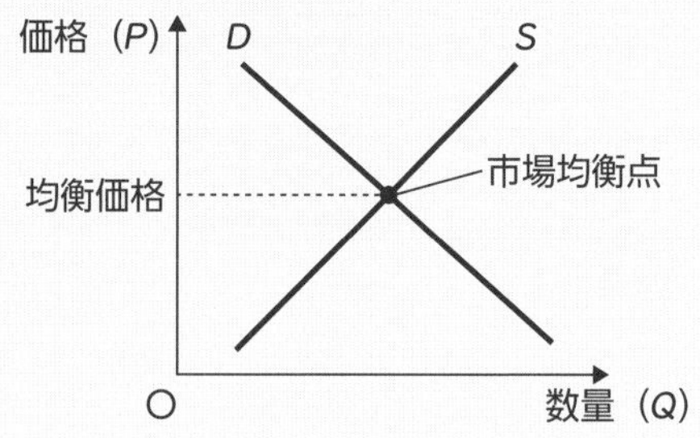

② 消費者

（1）財の種類

上級財	所得増（減）→消費増（減）
下級財	所得増（減）→消費減（増）
代替財	*X*財の消費減（増）→*Y*財の消費増（減） 例：パンと米
補完財	*X*財の消費減（増）→*Y*財の消費減（増） 例：コーヒーと砂糖

(2)需要曲線のシフト原因

需要曲線のシフト原因は下記。

右シフト	代替財の価格が**上昇** 消費者の所得が**増加**
左シフト	補完財の価格が**上昇** 消費者の所得が**減少**

(3)平均消費性向と限界消費性向

平均消費性向	消費÷所得で表される。一般に**所得が低い人ほど平均消費性向は大きくなる**
限界消費性向	所得が1増えたときの消費の増加分。一般に**所得が低い人ほど限界消費性向は大きくなる**

(4)需要の価格弾力性

需要の価格弾力性とは，価格が1％変化したとき，需要量が何％変化するかを表す値である。需要の価格弾力性が大きいほど，価格が変化したときの需要量の反応が大きくなる。

$$\text{需要の価格弾力性}=\frac{\text{需要量の変化率}}{\text{価格の変化率}}$$

- 需要曲線の傾きが**急**→価格弾力性が**小さい**
- 需要曲線の傾きが**緩やか**→価格弾力性が**大きい**
- 一般に，そのときの代替品が入手しやすいほど需要の価格弾力性は**大きい**

(5)無差別曲線

効用(満足度)が同じ消費の組合せを示す曲線。**同じ曲線上では効用は等しい**。また，**原点から離れるほど，効用が高い**。

(6)予算制約線

消費者が予算(所得)の範囲内ですべて使い切ることを表した線。右下がりになるという特徴を有し，**線の内側が消費可能領域**である。

たとえばある人が収入のすべてを*X*財と*Y*財の購入に充てるとする。このとき，下図において点Aは購入可能である。また，*X*財の価格が上昇すると，予算線*ZZ′*は点Bを中心に左下方へと移動する。

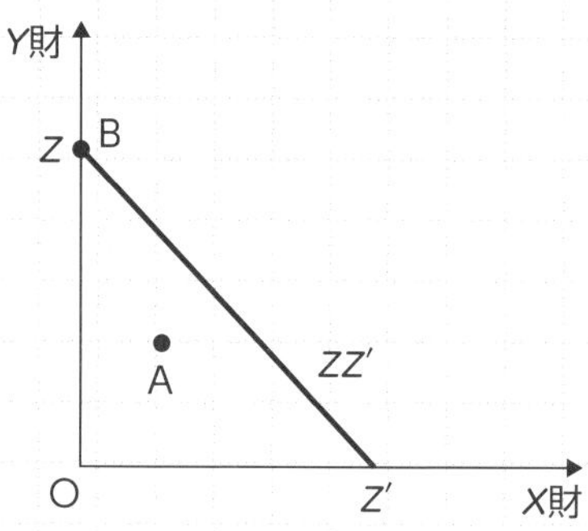

ここだけ

③ 生産者

(1)費用

総費用(*TC*)	財の生産に，トータルでかかる費用
固定費用(*FC*)	機械設備など，生産の有無にかかわらず一定でかかる費用
可変費用(*VC*)	賃金や労働など，生産量に応じて変化する費用
平均費用(*AC*)	財を1単位生産するのに平均的にかかる費用
平均可変費用(*AVC*)	財を1単位生産するのに平均的にかかる可変費用
限界費用(*MC*)	財を追加して1単位生産するためにかかる費用の増加分
損益分岐点	**赤字と黒字の境目となる部分**。**平均費用(*AC*)と限界費用(*MC*)の交点**を意味する

操業停止点	営業を廃止する必要が出る部分。平均可変費用（AVC）と限界費用（MC）の交点を意味する。企業は，損益分岐点を下回っても，操業停止点に至るまで営業を続ける

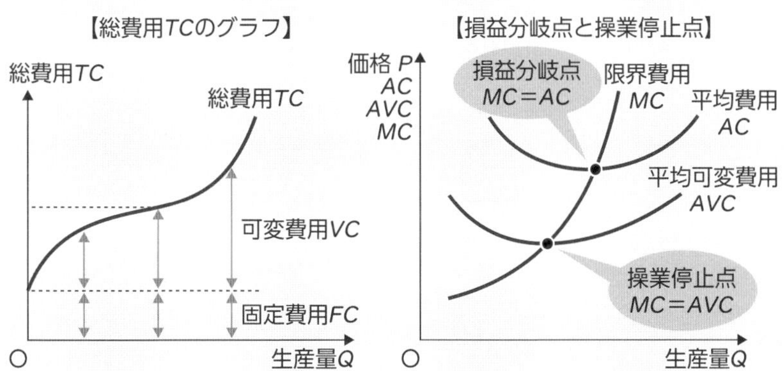

（2）生産可能曲線

限られた資源から生産可能な最大限の財の組合せを示す曲線。原点から見て曲線の**内側**は，最大限生産していないので**非効率**，**外側**は**生産不可能**を意味する。

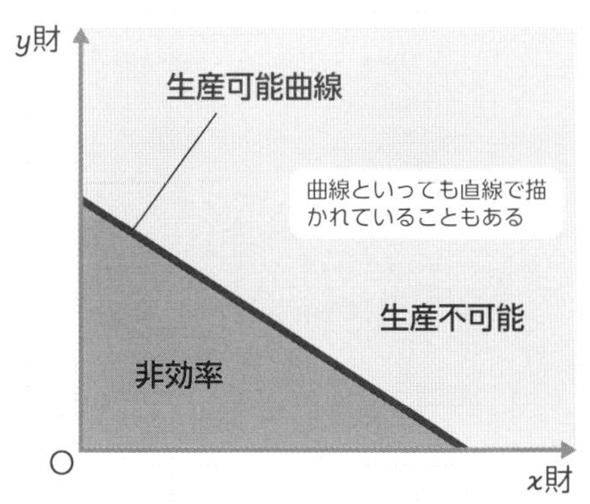

厳選問題

次の図は生産可能曲線である。この図に関する次の文中の空欄ア～オに当てはまる語句の組合せとして，妥当なものはどれか。

【地方上級】

原点から見て，この曲線の内側は［ ア ］であり，外側は［ イ ］である。経済状態が点Aから点Bへ移動するとき，自動車1台に対するコンピュータの機会費用は［ ウ ］である。また，点Bから点Cへ移動するときのこの機会費用は，点Aから点Bへ移動するときのこの機会費用より［ エ ］。さらに，自動車とコンピュータのいずれにも用いられる半導体が減少すると，この曲線は［ オ ］へ移動する。

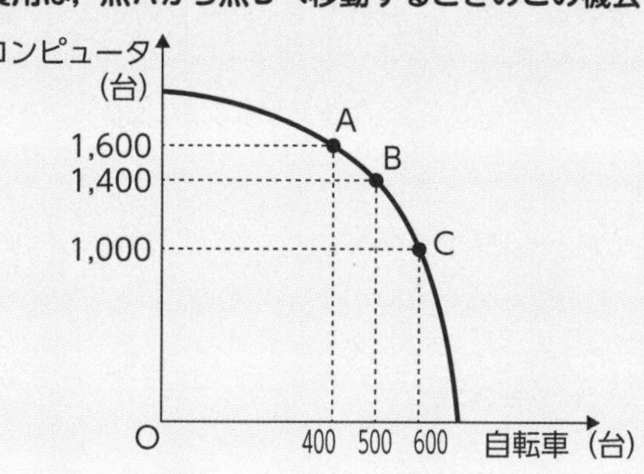

	ア	イ	ウ	エ	オ
1	非効率	生産不可能	2	高い	内側
2	非効率	生産不可能	3	低い	内側
3	非効率	生産不可能	2	高い	外側
4	生産不可能	非効率	3	低い	内側
5	生産不可能	非効率	2	高い	外側

解説

正答 1

ア 非効率	生産可能曲線の内側は「非効率」である。
イ 生産不可能	生産可能曲線の外側は「生産不可能」である。
ウ 2	自動車は100台増産され，コンピュータは200台減産される。よって，自動車１台に対するコンピュータの機会費用は２(＝200÷100)となる。
エ 高い	自動車は100台増産され，コンピュータは400台減産される。よって，自動車１台に対するコンピュータの機会費用は４(＝400÷100)となり，２より高くなる。
オ 内側	半導体が減少すると，両財の生産可能な最大量は減少するので，生産可能曲線は内側(原点側)へと移動する。

もう１点GET ＋α

市場の失敗

不完全競争(独占・寡占)	● **非価格競争**が起こる ● プライスリーダーによる**管理価格**が設定(価格の下方硬直性)
公共財	● 警察や消防，道路など，**対価を払わないフリーライダーを排除できず**(**非排除性**)，多くの人々が**同時に利用できる**(**非競合性**)という特徴を持つ財。民間では供給が難しいため，公的部門が提供
外部性	● ある経済主体の活動が市場を通さずに，**ほかの経済主体に対して影響を与える** ❶外部不経済(公害)→取引量は過大，価格は過小。課税が必要 ❷外部経済(教育)→取引量は過小，価格は過大。補助金が必要

１問１答

公害などの外部不経済が生じている場合には，取引量は過小，価格は過大となるため，これを是正するために，補助金が必要となる。

正解 ✕ 公害などの外部不経済ではなく，教育などの外部経済の誤り。

09 日本の金融政策

超約 ここだけ押さえよう！

金本位制	金と交換できる**兌換紙幣**を発行する制度 ○→**物価が安定**する，**為替相場が安定**する ×→金融危機に柔軟に対応できない（通貨を増やせない）
管理通貨制度 →現在の日本	金の保有量と関係なく，**不換紙幣**を発行できる制度 ○→景気・物価調整のため，**通貨を柔軟に調整できる** ×→不換紙幣を乱発すると**インフレ**になる

ここだけ
② 金融の種類

直接金融	余剰資金の所有者が株式・債券**市場**を通じて，資金を企業に融通する方式（**株式**や**社債**など）
間接金融	余剰資金の所有者が銀行などの**金融機関**に預金し，金融機関が預かった資金を家計や企業に貸し付ける方式（**銀行借り入れ**）
自己金融 （内部金融）	収益の一部を**内部留保**して，自社で必要資金を賄う方式

ここだけ
③ 金融政策

日本銀行の**政策委員会（金融政策決定会合）**において決定される。日本銀行は，❶**唯一の発券銀行**（銀行券の発行），❷**銀行の銀行**（銀行に対する貸付や預金の受入れ），❸**政府の銀行**（国庫金の出納，外国為替市場へ

政策委員会（金融政策決定会合）**国会の承認は不要**。メンバーは，総裁1名，副総裁2名，その他の審議委員6名だよ。

の介入)である。日本銀行の金融政策は以下のとおり。

	不況期	好況期
目標	通貨量増，金利引下げ →景気を刺激	通貨量減，金利引上げ →景気を抑制
公開市場操作 (メインの政策)	買いオペレーション	売りオペレーション
基準割引率および基準貸付利率	引き下げる	引き上げる
預金準備率	引き下げる	引き上げる

※近時，量的・質的金融緩和により，長期国債や上場投資信託(ETF)などの金融資産を大量に買い入れてきたため，総資産が増加した。2016年からは「長短金利操作付き量的・質的金融緩和」の柱としてイールドカーブ・コントロールを導入。

ここだけ

④ 金融用語

ポリシー・ミックス	政策目標を達成するために，いくつかの政策を効果的に組み合わせること。金融政策＋財政政策など
金融ビッグバン	1996年に橋本龍太郎内閣の呼びかけで始まった金融システム改革。フリー(自由)，フェア(公平)，グローバル(国際化)を原則とした。護送船団方式が改められた
ペイオフ	金融機関が破綻した場合に，預金保険機構が元本1,000万円までとその利息の払戻しを保証する制度。日本振興銀行が経営破綻し，初めて発動された
BIS規制	銀行の自己資本比率規制のこと。「バーゼル規制」ともいう。国際的に活動する銀行は８％以上でなければならない(海外拠点を持たない銀行は４％)
マイナス金利	日銀当座預金に対し，一部マイナス0.1％の金利を適用する政策のこと→2024年３月に解除された

護送船団方式
金融機関の保護政策を表しているよ。

日本の金融政策に関する次の記述のうち，妥当なものはどれか。

【地方上級】

1 日本の政策金利や通貨量の操作目標は，内閣総理大臣が主宰する閣議で決定し，国会の承認を経たうえで，日本銀行が金融調整を実施する。

2 日本銀行は，通貨価値を維持するため，銀行券発行可能額を金の保有量と結びつけており，無制限に通貨量を増やすことはできない。

3 日本銀行が，量的・質的金融緩和を導入し，長期国債や上場投資信託（ETF）などの金融資産の買入れを進めてきたことから，日本銀行の総資産は増加してきた。

4 日本銀行が導入したマイナス金利は，日本銀行が民間の金融機関に貸し出す際の金利をマイナスにすることで，金利全般をマイナスにする政策である。

5 日本銀行が金利を引き上げると，日本の金融市場で資産運用するほうが有利となり，外国から日本に資金が流入し，為替レートは円安方向に進む。

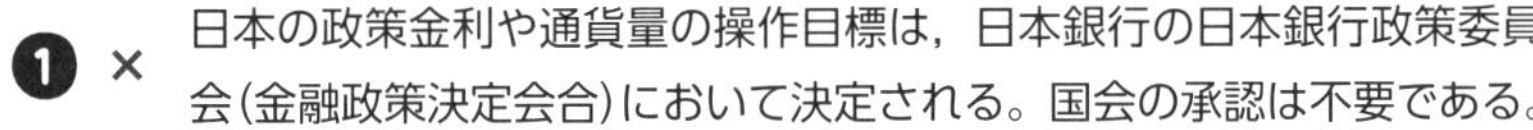

❶ × 日本の政策金利や通貨量の操作目標は，日本銀行の日本銀行政策委員会(金融政策決定会合)において決定される。国会の承認は不要である。

❷ × 管理通貨制度が採用されているので，金の保有量とは関係なく，必要に応じて不換紙幣を発行することができる。

❸ ○ そのとおり。なお，日銀が国債を大量購入し続けてきたので，日銀の国債保有残高が大きく増加している。国債等の保有者内訳では日銀がダントツのトップ。

❹ × マイナス金利は，金融機関が日本銀行に預ける当座預金の一部に対する金利をマイナスにするものであり，金利全般をマイナスにする政策ではない。なお，2024年３月に解除された。

❺ × 金利を引き上げると，外国から日本に資金が流入するため，為替レートは円高方向に進む。

もう1点GET +α

インフレーションとデフレーションの影響

インフレーション	物価↑　**貨幣価値**↓ ● 実物資産を保有する者→**有利** ● 固定給で働く労働者・年金生活者→**不利** ● 債権者→**不利**，債務者→**有利**
デフレーション	物価↓　**貨幣価値**↑ ● 実物資産を保有する者→**不利** ● 固定給で働く労働者や年金生活者→**有利** ● 債権者→**有利**，債務者→**不利**

1問1答

インフレーションになると，物価と貨幣価値がともに上がる。そのため，固定賃金で働く労働者にとっては，実質賃金が上昇する。

正解 × インフレになると，物価は上がり貨幣価値は下がる。よって，実質賃金が下落する。

10 国際情勢

超約 ここだけ押さえよう！

ここだけ① アメリカ事情

2020	● 大統領選挙で**バイデン大統領(民主党)**が当選 →**過去最高**の投票率(66.7%) →バイデン氏が約8,100万票，トランプ氏が約7,400万票を獲得，**大統領選挙人数**は，バイデン氏が306人，トランプ氏が232人 →負けたトランプ氏は，開票の不正を主張し，連邦最高裁へ提訴
2021	● バイデン大統領が**パリ協定への復帰**を決定 ● アメリカ，イギリス，オーストラリアの３か国が**AUKAS**を立上げ→インド太平洋地域での安全保障協力の枠組み
2022	● アメリカが主導する新たな経済圏構想「**インド太平洋経済枠組み(IPEF)**」立上げを発表
2024	11月に大統領選挙を実施。トランプ氏(共産党)とハリス氏(民主党)が主な候補者だった。

大統領選挙人数
ほとんどの州で**勝者総取り(ウィナー・テイク・オール)方式**が採用されているよ。得票数に応じて比例配分しないんだね。

インド太平洋経済枠組み(IPEF)
日本を含む14か国が参加を表明しているよ。

ここだけ② 中国事情

一国二制度
香港がイギリスから返還された後も，50年間は高度な自治を認めるという方針だよ。

2018	**憲法改正**→国家主席の**任期(２期10年まで)を撤廃**
2020	**香港国家安全維持法**の施行→民主活動家などが多数逮捕。**一国二制度**が有名無実化したという評価あり
2022	習近平国家主席の**３期目**がスタート

③ EU事情

イギリス	● 2016年にEU離脱の是非を問う国民投票→**僅差で離脱派勝利** ● **メイ首相(保守党)**が離脱交渉に挑むが辞任 ● 続く**ジョンソン首相(保守党)**のもと，解散総選挙が実施され，与党・保守党が勝利，協議案可決→2020年1月に離脱 ● ジョンソン首相の辞任後，**トラス首相(保守党)**が任命されるも，2か月足らずで辞任→スナク首相(保守党)→政権交代で**スターマー首相**(労働党)へ
フランス	● 2022年に**マクロン大統領が再選**→急進右派・国民連合のルペン氏を決選投票で下し，再選を決めた
ドイツ	● 2021年に長期政権を率いてきたメルケル首相が退任し，**社会民主党**の**ショルツ氏**が新首相として議会から選出。社民党，緑の党，自由民主党の**3党連立**

④ 核軍縮

1963	部分的核実験禁止条約(PTBT) 発効　**地下は除く**，検証制度なし
1968	核拡散防止条約(NPT) 発効　**米・ソ・英・仏・中(5大国)**が核保有国→非核保有国は核の製造や取得等が禁止。**国際原子力機関(IAEA)の査察**を受け入れる 米・ソ・英・仏・中(5大国) ただし，**インドやパキスタン**などの国々は，条約外で核開発を進め，事実上の核保有国となっているんだ。
1996	包括的核実験禁止条約(CTBT) 未発効　**地下も含めてすべての核実験を禁止**
2017	核兵器禁止条約(TPNW) 発効　開発，実験，使用，使用の威嚇などを禁止。5大国，NATO諸国などは不参加。**日本も不参加**

厳選問題

2020年11月に実施されたアメリカ大統領選挙に関する次の記述の下線部のうち，妥当なものの組合せはどれか。 【地方上級】

アメリカ大統領選挙は間接選挙であり，一般の有権者は各州（ワシントンD.C.を含む）を代表する大統領選挙人を選出し，この大統領選挙人の投票によって大統領が選出される仕組みとなっている。ただし，大統領候補者は各州の[ア]得票数に比例して自身に投票する大統領選挙人を獲得する。今回の選挙のアメリカ国民の関心は高く，投票率は1900年以降に実施された大統領選挙としては，[イ]過去最高となった。選挙結果は，バイデン氏が[ウ]トランプ氏の２倍以上の得票で圧勝したものの，トランプ陣営は敗北を認めようとせず，開票に不正があったと主張し，連邦最高裁判所に[エ]提訴した。

1 ア，イ

2 ア，ウ

3 ア，エ

4 イ，ウ

5 イ，エ

解説

正答 5

ア × 得票数に比例して大統領選挙人を獲得するのではない。ほとんどの州では勝者総取り（ウィナー・テイク・オール）方式が採用されている。たとえ2位と1票差でも得票数が最も多かった大統領候補者が，その州に割り当てられている大統領選挙人をすべて獲得する。

イ ○ そのとおり。66.7％であり，120年ぶりの高水準となった。

ウ × バイデン氏＝約8,100万票，トランプ氏＝約7,400万票で接戦であった。

エ ○ そのとおり。ジョージア，ミシガン，ペンシルベニア，ウィスコンシンの4州で不正があったとして，提訴した。しかし，連邦最高裁判所はこの訴えを退けた。

もう1点GET +α

ロシア・ウクライナ事情

1991	ウクライナがソ連から独立
2004	ウクライナで民主革命の**オレンジ革命**が起こる
2014	3月　ロシアが**クリミア半島を併合** 9月　**ミンスク合意**（ウクライナ政府と親ロシア派の和平）
2019	ウクライナで**ゼレンスキー大統領**就任
2020	ロシアが憲法改正→プーチン大統領の続投可能体制へ
2022	2月　**ロシアがウクライナに侵攻**→国連は緊急特別総会を開催し対応 9月　ロシアが**ウクライナ東南部の4州**（ドネツク州，ルガンスク州，ザポリージャ州，ヘルソン州）を併合すると宣言
2024	ロシアでプーチン大統領が再選

1問1答

2022年2月，ロシアはウクライナに侵攻し，クリミア半島を併合すると宣言した。

正解 ✕ 併合すると宣言したのは，ウクライナ東南部の4州。

厳選問題

核軍縮に関する次の記述のうち，下線部の内容が妥当なもののみをすべて挙げているものはどれか。【地方上級】

核軍縮を目的として1968年に締結されたのが，核拡散防止条約である。同条約では，ア「核保有国」をアメリカ，イギリス，フランス，ロシアの４か国に限定しており，イそれ以外の国は核の製造や取得等が禁止されている。しかしながら，ウインドやパキスタンなどの国々は，同条約の枠外で核開発を進め，事実上の核保有国となっている。

2017年，エ核兵器禁止条約が国連において採択されたが，核保有国はこれに反対票を投じた。オ日本は，唯一の被爆国であることから条約締結を主導し，原加盟国の一つとなった。

1 ア，イ

2 ア，ウ

3 イ，ウ

4 ウ，エ

5 ウ，オ

正答 3

ア × 核保有国は，アメリカ，イギリス，フランス，ロシア，中国の５か国。

イ ○ 非核保有国は，核の製造や取得等が禁止されており，国際原子力機関(IAEA)の査察を受け入れる義務を負っている。

ウ ○ インドやパキスタンはNPT未批准で，当該条約を遵守する義務を負っていないため，独自に核開発を進め，事実上の核保有国となっている。

エ × 核保有国は，投票に参加しなかった(不参加)。

オ × 日本は，投票に参加しなかった(不参加)。

もう1点GET +α

米露間の軍縮交渉

1972	**SALTⅠ(第一次戦略兵器制限条約)** 発効
1979	SALTⅡ(第二次戦略兵器制限条約) 未発効 →ソ連のアフガニスタン侵攻により新冷戦状態に突入
1987	**INF全廃条約(中距離核戦力全廃条約)** 発効 →2019年失効
1991	**STARTⅠ(第一次戦略兵器削減条約)** 発効
1993	STARTⅡ(第二次戦略兵器削減条約) 未発効
1997	STARTⅢ(第三次戦略兵器削減条約)交渉開始の合意のみ
2010	**新START(第四次戦略兵器削減条約)** 発効 →STARTⅠの後継条約
2021	新STARTを５年間延長することが決定
2023	ロシアのプーチン大統領が新STARTの履行停止を表明

1問1答

SALTは戦略兵器削減条約のことをさす。

正解 × 戦略兵器制限条約である。

4章 社会
10 国際情勢

11 少子高齢化・社会保障

ランク B

超約 ここだけ押さえよう！

ここだけ① 少子化

合計特殊出生率	1.20(2023年) 低下傾向↓
出生数	約73万人(2023年) 減少傾向↓
保育所待機児童	2,567人(2024年4月時点) 減少傾向↓ 過去最少
こども家庭庁	内閣府の外局として2023年に4月に発足

ここだけ② 高齢化

高齢化率 (全人口に占める65歳以上の割合)	29.2%(2024年1月時点) 上昇傾向↑ 世界最高水準
平均寿命	男性は81.09歳，女性は87.14歳(2023年) ともに前年を上回る
就業者総数に占める65歳以上の高齢者の割合	13.4%(2023年) 上昇傾向↑
死因	がん，心疾患，老衰の順(2023年)

がん
がんは1981年以降，日本人の死因の第1位。老衰は2018年に脳血管疾患に代わり第3位に上昇したよ。

ここだけ
③ 社会保障

(1)制度概要

社会保障制度は，４つ(**社会保険，社会福祉，公的扶助，保健医療・公衆衛生**)に分かれる。特に出題されるのは社会保険と公的扶助で，以下のとおり。

社会保険

公的保険は，**医療保険**，年金保険，労働者災害補償保険，雇用保険，介護保険の５つ。**一番古いのは医療保険**(1922年の健康保険法)，**一番新しいのは介護保険**(2000年から施行)

医療保険
75歳以上になると，**後期高齢者医療保険**に加入することになるよ。負担割合は所得に応じて１～３割。2022年10月から一定の所得のある後期高齢者は負担割合が１割から２割に引き上げられたんだ。

● 医療保険・年金保険

	医療保険	年金保険
会社員(サラリーマン)	**健康保険**(全国健康保険協会〈協会けんぽ〉，健康保険組合)	**厚生年金**(＋国民年金)
公務員	**共済保険**	**厚生年金**(＋国民年金)
自営業，無職	**国民健康保険**	**国民年金のみ**

※**20歳以上**のすべての人が共通して加入する国民年金(基礎年金)と，会社員・公務員が加入する厚生年金(報酬比例年金)による，「２階建て」になっている。

● 労働者災害補償保険

労働者の**業務上**の事由または**通勤**による労働者の傷病等に対して保険給付を行う。費用は事業主が負担(**全額が事業主負担**)

● 雇用保険

失業した人や教育訓練を受ける人に対して，失業等給付を支給。**公務員は対象外**。保険料は**労使の折半**(ただし，事業主のほうが多く負担)

	● 介護保険 **介護認定審査会**で**要介護**（**1～5**），**要支援**（**1，2**）と認定されると保険給付を受けられる。被保険者は第1号被保険者（65歳以上の者）と第2号被保険者（40歳以上65歳未満の医療保険加入者）。**40歳以上**から保険料を徴収。保険者は**市区町村**。負担割合は所得に応じて1～3割
公的扶助	生活保護のこと。生活困窮者に最低限度の生活を保障するための制度。生活・生業・教育・住宅・医療・介護・出産・葬祭の8種類の扶助がある。**医療と介護**は現物給付。**世帯単位の原則**のもと，**資力調査**（**ミーンズテスト**）が行われる

（2）社会保障の歴史

イギリス	1601年：エリザベス救貧法（国王の恩恵的福祉） 1911年：**国民保険法**（健康保険と失業保険）→**失業保険は世界初** 1942年：**ベバリッジ報告**「**ゆりかごから墓場まで**」（チャーチル首相） →最低限度の生活を国が保障する「ナショナル・ミニマム」の発想
ドイツ	1880年代の**宰相ビスマルク**による「アメとムチ政策」の一環として**3つの社会保険法**（疾病保険法〈医療保険〉，労災保険法，養老保険法〈年金保険〉）を整備
アメリカ	**フランクリン・ローズヴェルト大統領**の「**ニューディール政策**」の一環として，**連邦社会保障法**（1935年）を整備。社会保障という名前を伴った法律は世界初

3つの社会保険法
世界初の社会保険制度なんだけど，失業保険が入ってないんだ。

連邦社会保障法
老齢年金，失業保険，公的扶助だよ。

(3)日本の年金改革

日本の年金は，毎年の現役世代の保険料により年金を賄う**賦課方式**を基本的に採用している。ただし，**マクロ経済スライド**によって，年金の給付水準が調整されている。

1961	国民皆保険，国民皆年金が実施される。20歳以上の国民は，厚生年金，共済年金，国民年金の**いずれかに加入することが義務づけられた**
1986	**基礎年金制度を導入**→20歳以上のすべての者に国民年金への加入を義務づけた。ただし，学生の加入義務づけは1991年以降で，それより前は任意。基礎年金には，**老齢基礎年金**，**障害基礎年金**，**遺族基礎年金**がある
2015	2015年10月以降，公務員の**共済年金は厚生年金に統合**された
2016	個人型確定拠出年金（iDeCo）への加入資格拡大 →**公務員などを含む**原則60歳未満の国民年金被保険者にまで広がった。掛金とその運用実績で**年金額が変わる**
2022	個人型確定拠出年金（iDeCo）への加入資格拡大 →**原則65歳になるまで**加入できるようになった
2024	**106万円の壁**の適用企業が拡大 →2024年10月から51人以上の企業に拡大

106万円の壁
この年収を超えると，扶養から外れて，自身で社会保障(厚生年金と健康保険)に加入する義務が生じるんだ。

厳選問題

わが国の年金制度に関する次の記述のうち，妥当なものはどれか。　【地方上級】

1　国民年金は，20歳以上のすべての国民を加入対象とする基礎年金である。また，基礎年金には，老齢基礎年金と障害基礎年金の２種類がある。

2　年金の財源は限られているが，将来の現役世代の負担が過重にならないよう，年金の給付水準を調整するために，マクロ経済スライドが導入されている。

3　高齢になると医療費などが増えて家計の負担が重くなる一方，65歳以上の高齢者の約８割が公的年金・恩給のみを収入としている状態にある。

4　厚生年金は，元々は公務員が加入する年金制度であったが，会社員が加入する年金制度であった共済年金と統合して，被用者年金は厚生年金に一元化された。

5　iDeCoは個人向けの私的年金制度であり，加入者はすべて同一額の掛金を支払い，運用実績にかかわらず同一額の年金の給付が保証されている。

解説

正答 2

❶	×	基礎年金には，老齢基礎年金，障害基礎年金，遺族基礎年金がある。
❷	○	そのとおり。マクロ経済スライドとは，経済成長率や物価上昇率に基づいて年金給付額を調整する仕組み。物価や賃金の上昇率から「マクロ経済スライド調整率」を差し引いて年金給付額を抑制する。
❸	×	「約8割」というのはさすがに言い過ぎ。44.0%にとどまる（2022年調査）。
❹	×	もともと公務員は共済年金だったが，2015年に会社員が加入する厚生年金に統合された。これが被用者年金の一元化である。
❺	×	iDeCoに加入する者は，自分で掛金の額を決めて支払い，その運用実績に応じて年金の給付を受ける。掛金も年金給付も「同一額」ではない。

もう1点GET +α

高年齢者雇用安定法

65歳まで	「定年制の廃止」や「定年の引上げ」「継続雇用制度の導入」のいずれかの措置（**高年齢者雇用確保措置**）を，講じることが**義務**
65〜70歳まで	「定年制の廃止」や「定年の引上げ」「継続雇用制度の導入」「業務委託契約の導入」「社会貢献事業に従事できる制度の導入」のいずれかの措置（**高年齢者就業確保措置**）を講じることが**努力義務**

1問1答

現在，「生涯現役社会の実現」をめざして，法律上，企業は70歳までの高年齢者就業確保措置を講じることが義務づけられている。

正解 ✕ 義務ではなく，努力義務である。

12 環境・資源・エネルギー

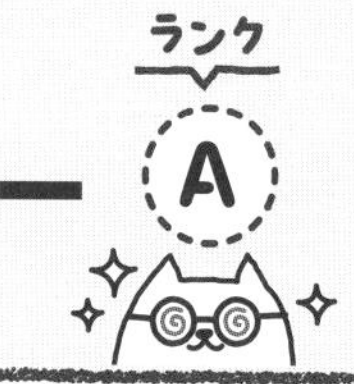

ここだけ

① 環境

パリ協定が採択
京都議定書は，先進国のみに削減義務（アメリカ離脱）が課されていたよ。

（1）温室効果ガス

二酸化炭素（CO_2）排出量の多い国は，1位中国，2位アメリカ，3位インド，4位ロシア，5位日本。2015年の第21回気候変動枠組条約締約国会議（COP21）でパリ協定が採択され，2016年に発効した。COP26では，温室効果ガスの削減量を「排出権」として融通し合う市場メカニズムについても合意し，パリ協定のルールブックはすべて完成。続くCOP27では，「損失と損害」に対する支援を行う基金設立を決定。

加盟国	196の国と地域（中国，アメリカ，インドを含む）
数値目標	産業革命前からの気温上昇を2度未満に抑えること，1.5度未満も努力→COP26で1.5度未満が公約に
ルール	全加盟国が自主的に削減目標を策定し，提出する義務
日本の削減目標	2050年までにカーボンニュートラルをめざす。中間目標は，2030年度までに2013年度比で46％削減（50％削減も挑戦）

（2）その他の環境問題

国連人間環境会議（ストックホルム会議）（1972年）	かけがえのない地球をスローガンに「人間環境宣言」を採択
国連環境開発会議（地球サミット）（1992年）	持続可能な開発をスローガンに「環境と開発に関するリオ宣言」やそれを具体化するための「アジェンダ21」「気候変動枠組条約」「生物多様性条約」などを採択

ラムサール条約	水鳥と湿地を保護する条約。日本には登録湿地が多数ある
ワシントン条約	絶滅のおそれのある種の商取引を規制
ウィーン条約	オゾン層を破壊するフロンガスを規制する条約→モントリオール議定書で具体策を明記
バーゼル条約	有害廃棄物の越境移動を規制する条約

② 資源・エネルギー

ここだけ

(1)日本のエネルギー事情

日本はエネルギー需要の約３分の１を石油で賄い，その９割以上を中東に依存している。エネルギー自給率は12.6%(2022年)と先進国の中でも低い。

(2)新しいエネルギー資源

シェールガス	頁岩層(けつがんそう)(シェール層)にある天然ガス。同じく頁岩層にある石油は，シェールオイルと呼ばれる。アメリカの生産量が急増し，日本への輸出も増加傾向
メタンハイドレート	天然ガスの主な成分であるメタンと水が結合して結晶化したもの。「燃える氷」といわれる。日本近海に存在する
再生可能エネルギー	太陽光・風力・地熱・水力・バイオマス(もう1点GET +α 参照)といった温室効果ガスを排出しない自然エネルギー。再エネ比率は22.9%(2022年)。特に太陽光は全体の約9.6%を占める

太陽光は全体の9.3%を占める再エネを電力会社が一定期間，一定価格で買い取る固定価格買取(FIT)制度の影響で，家庭や事業所でたくさん導入されてきたんだ。再エネの中で一番高い割合を占めているよ。

厳選問題

各国のエネルギー事情に関する次の記述のうち，妥当なのはどれか。 【市役所】

1 経済協力開発機構（OECD）加盟国の中で，発電電力量に占める再生可能エネルギーの比率が最も低い国は，日本である。

2 ヨーロッパでは，太陽光など，再生可能エネルギーの開発が進んでおり，ドイツやフランスでは原子力発電所を廃止するに至っている。

3 アメリカではシェールガスの採掘がすでに進められており，近年では日本にもシェールガスの輸出を行うようになっている。

4 日本は世界各国から石油を輸入しており，近年の石油輸入量全体に占める中東諸国からの石油輸入量は50％を下回っている。

5 地球温暖化対策の国際的枠組みであるパリ協定は，2030年までの石炭火力発電所の全廃を締約国に義務づけている。

解説

正答 3

❶ × OECD加盟国の中で，日本の再生可能エネルギー比率は決して高くない。しかし，韓国のように日本よりも低い国はある。

❷ × イタリア，ドイツなど再生可能エネルギー比率を伸ばしている国があるので，再生可能エネルギーの開発が進んでいるとする点は正しい。また，ドイツは2023年４月に「脱原発」の目標を達成したので，この点も正しい。しかし，フランスはいまだに約６割強を原発に依存している。

❸ ○ そのとおり。アメリカではすでに採掘技術が確立し，採掘が行われている。日本などの外国への天然ガス輸出も，緩やかに増加している。

❹ × 日本の輸入量全体に占める中東諸国からの輸入量は，９割強にも上る。中東依存がいまだに顕在している。

❺ × パリ協定に，このような規定はない。

もう1点GET +α

バイオマス燃料

動植物などの生物資源（バイオマス）由来の燃料。木質バイオマス，バイオエタノール，バイオディーゼル，バイオガスがある。

バイオエタノール	**サトウキビ**や**トウモロコシ，木材**などのバイオマスを発酵させて作る液体燃料。**アメリカ**や**ブラジル**では，**ガソリン**の代替燃料として使っている
バイオガス	**家畜のふん尿，生ごみ，紙ごみ**などのバイオマスを，微生物の力で**メタン発酵**させて作る気体燃料。主に発電燃料として使われる

1問1答

ブラジルでは，バイオガスを実用化し，ガソリンに代わる自動車の燃料として使っている。

正解 ✕ バイオエタノールの誤り。

13 明治時代

 ここだけ押さえよう！

ここだけ 1 中央集権国家に向けた歩み

1868	● **神仏分離令**：神道国教化策→各地で廃仏毀釈が起こる
1869	● **版籍奉還**：旧藩主は知藩事としてそのまま藩政を続行→意味なし
1871	● **郵便制度発足**：前島密の建議 ● 新貨条例：円・銭・厘で10進法を採用→実際は**金銀複本位制** ● **廃藩置県**：藩を廃止→**中央から府知事・県令を派遣** ● **岩倉遣外使節団**：木戸，大久保，伊藤ら→アメリカへ予備交渉（失敗）
1872	● **学制**の発布：**義務教育の必要性を示す** ● **新橋・横浜間**に鉄道が開通（**官営鉄道**→その後民鉄ブームへ） ● **国立銀行条例**：**民間の銀行**に兌換義務→４行のみ→のちに不換紙幣の発行を許可→153行まで増加 義務教育の必要性を示す 実際1886年の小学校令で原則４年の義務教育になったよ。 国立銀行条例 1882年の日本銀行設立と間違わないようにね。
1873	● **徴兵令**：**士族・平民の別なく20歳以上の男子**（３年間）→免除あり ● **地租改正**：課税基準を収穫高→地価へ。地価の３％を**土地所有者に金納させる**→農民一揆頻発 ● **明治６年政変**→西郷隆盛や征韓論者（板垣，後藤など）が下野
1876	● **秩禄処分**：金禄公債証書発行条例を発布し，**家禄・賞典禄**を廃止 家禄・賞典禄 給料やボーナスのことだよ。家禄と賞典禄を合わせて秩禄というんだ。

ここだけ
② 立憲主義の確立と外交的成果

1885	**内閣制度発足**：初代内閣総理大臣は伊藤博文
1889	**大日本帝国憲法制定**：天皇は**統治権の総覧者**。帝国議会は**協賛機関**。国務大臣が天皇を**輔弼**（ほひつ）。司法権は**天皇の名**で行う。**天皇大権**多数，「**法律の留保**」を伴う臣民権
1890	**第１回衆議院選挙**：選挙権は**直接国税15円以上を納める25歳以上の男子**（全国民の1.1％）→**民党**が圧勝
1894	**日英通商航海条約**：**陸奥宗光**が**領事裁判権の撤廃に成功**

ここだけ
③ 日清戦争・日露戦争

	日清戦争	日露戦争
原因	**甲午農民戦争**（**東学党の乱**）（1894）	**義和団事件**（**北清事変**）（1900）
同盟	なし	**日英同盟**（1902）
主な戦い	豊島沖海戦（初戦）→㊖，黄海海戦→㊖	奉天の会戦→㊖，**日本海海戦**→㊖（ロシアのバルチック艦隊を撃破）
講和条約	**下関条約**（1895，日本全権伊藤・陸奥vs.清国全権李鴻章（りこうしょう））→朝鮮の独立の承認，遼東（りょうとう）半島の割譲，台湾の割譲が内容。遼東半島の割譲に対しては，**三国干渉**（**ロシア・フランス・ドイツ**）→日本は返還	**ポーツマス条約**（1905，日本全権小村vs.ロシア全権ウィッテ）→セオドア・ローズヴェルトの仲介。**賠償金なし**→これに対して**日比谷焼討ち事件**が勃発
結果	**賠償金**（**３億1,000万円**）を元手に**金本位制に移行**し，第一次産業革命へ。1901年には八幡（やはた）製鉄所の操業を開始	対露→４次にわたる日露協約を締結。対朝鮮→第二次日韓協約（1905）で**統監府**（初代統監伊藤博文）を設置（保護国化）。**韓国併合条約**（1910）で**朝鮮総督府**（初代総督寺内正毅（まさたけ））を設置（植民地化）

厳選問題

日清戦争または日露戦争に関する記述として，妥当なのはどれか。

【特別区】

1 1894年に，朝鮮で壬午事変が起こり，その鎮圧のため朝鮮政府の要請により清が出兵すると，日本も清に対抗して出兵し，8月に宣戦が布告され日清戦争が始まった。

2 日清戦争では，日本が黄海海戦で清の北洋艦隊を破るなど，圧倒的勝利を収め，1895年4月には，日本全権伊藤博文および陸奥宗光と清の全権袁世凱が下関条約に調印した。

3 下関条約の調印直後，ロシア，ドイツ，アメリカは遼東半島の清への返還を日本に要求し，日本政府はこの要求を受け入れ，賠償金3,000万両と引き換えに遼東半島を清に返還した。

4 ロシアが甲申事変をきっかけに満州を占領したことにより，韓国での権益を脅かされた日本は，1902年にイギリスと日英同盟を結び，1904年に宣戦を布告し日露戦争が始まった。

5 日露戦争では，日本が1905年1月に旅順を占領し，3月の奉天会戦および5月の日本海海戦で勝利し，9月には，日本全権小村寿太郎とロシア全権ウィッテがアメリカのポーツマスで講和条約に調印した。

解説

正答 5

❶ × 1894年に朝鮮で起きたのは甲午農民戦争（東学党の乱）。壬午（じんご）事変は1882年に親日策をとる閔（びん）氏に対して，守旧派の兵士が国王の父，大院君（親清派）を担いで起こしたクーデタ。

❷ × 清国全権は「李鴻章」。

❸ × 三国干渉の三国はロシア，フランス，ドイツ。アメリカではない。

❹ × ロシアが義和団事件（北清事変）をきっかけに満州を占領した。甲申事変は，1884年に朝鮮の独立党が日本と結んで政権を取ろうしたクーデタ。

❺ ○ そのとおり。ポーツマス条約は，アメリカのセオドア·ローズヴェルト大統領の仲介によって結ばれた。

もう1点GET +α 殖産興業

1870	工部省→軍需工場や鉱山の経営，通信・郵便・鉄道・造船など
1872	フランスの技術を導入して富岡製糸場を創設（官営模範工場）
1873	内務省→製糸・紡績などの軽工業の振興
1877	内国勧業博覧会を開催

※1881年に黒田清隆が官有物を安く払い下げようとした開拓使官有物払下げ事件が起こる。これを批判した大隈重信は国会開設の勅諭を取り付けて下野した（明治14年政変）。

1問1答

政府は，殖産興業を進めるため，先に設置した内務省に軍需工場や鉱山の経営，鉄道・通信・造船業などの育成に当たらせ，続いて設置した工部省に軽工業の振興，内国勧業博覧会の開催を行わせた。

× 内務省と工部省の記述が逆である。

14 大正～第二次世界大戦

ここだけ① 護憲運動

第一次護憲運動（1912～13）	対桂太郎内閣。スローガン「閥族打破・憲政擁護」。立憲政友会（尾崎行雄），立憲国民党（犬養毅）が展開→桂内閣は53日で総辞職（大正政変）
第二次護憲運動（1924）	対清浦奎吾（けいご）内閣。立憲政友会（高橋是清（これきよ）），憲政会（加藤高明），革新倶楽部（犬養毅（いぬかいつよし））が展開→加藤高明護憲三派内閣へ（もう1点GET +α 参照）

ここだけ② 第一次世界大戦

戦中は輸出が盛んに行われ，船成金が続出。日本は大戦景気を謳歌した。

第二次大隈重信内閣	ドイツに宣戦布告（1914）→中国山東半島のドイツ権益を攻略。二十一か条の要求を突き付け認めさせる（対袁世凱（えんせいがい）政府）
寺内正毅（まさたけ）内閣	シベリア出兵（1918～22）→米価急騰→米騒動で総辞職
原敬（たかし）内閣	初めての本格的政党内閣（平民宰相）。普通選挙の実施には反対（直接国税を10円から３円に引下げ）。第一次世界大戦終結。ヴェルサイユ条約で講和

ここだけ③ 第一次世界大戦後の日本

戦後ヨーロッパが復活してくると，日本は戦後恐慌に。世界はワシントン体制へ（ワシントン会議），ワシントン海軍軍縮条約，四か国条約，九か国条約を締結。

ここだけ
④ 恐慌から恐慌へ

金融恐慌(1927)	震災手形の決済不良や不良債権問題→片岡直治蔵相の失言→銀行の取付け騒ぎへ(金融恐慌) ❶第一次若槻礼次郎内閣→過剰融資に苦しむ台湾銀行の救済に失敗 ❷田中義一内閣→3週間の緊急勅令(モラトリアム)を出す→台湾銀行を救済
昭和恐慌(1930〜31)	❶浜口雄幸内閣→大蔵相に井上準之助を起用→財政の緊縮，産業の合理化，金輸出解禁→失敗(昭和恐慌) ❷犬養毅内閣→大蔵相に高橋是清を起用→財政の拡大，金融緩和，金輸出再禁止

台湾銀行の救済に失敗
幣原喜重郎外相の協調外交に否定的だった枢密院は若槻内閣が提出した台湾銀行を救済する緊急勅令案を否決したんだ。

ここだけ
⑤ 軍部の台頭と第二次世界大戦

1928	張作霖爆殺事件→昭和天皇に叱責され田中義一内閣が総辞職
1931	柳条湖事件(南満州鉄道の線路を爆破)→これを機に軍事行動(満州事変)→翌年満州国を建国→国際的に認められず国連脱退(1933)
1932	5・15事件→犬養毅首相が青年将校に殺される→政党内閣終了
1936	2・26事件→天皇親政をめざして皇道派が国家改造のクーデタを起こす→失敗→統制派が主導権を握る(軍部の発言力が増大)
1937	盧溝橋事件で日中戦争へ→当初は不拡大方針→半年後に撤回
1938	国家総動員法→人的・物的資源を命令で動員可能に
1941	日ソ中立条約→真珠湾を奇襲攻撃(勝利)で太平洋戦争へ→ミッドウェー海戦で敗北(1942)→徐々に劣勢へ→サイパン島陥落(1944)→B29の本土空襲が可能に
1945	広島に原爆→ソ連の対日参戦→長崎に原爆→ポツダム宣言受諾

厳選問題

昭和初期からアジア太平洋戦争までの日本に関する次の記述のうち，妥当なものはどれか。 【地方上級】

1 1920年代末にアメリカ発の世界恐慌が起きたが，欧米諸国との貿易量が少ない日本経済に与えた影響は小さく，1930年代の日本経済は好況が続いて，その影響は農村部にまでもたらされた。

2 日本は中国東北部に満州国を建国し実効支配していたが，その地域に中国軍が侵攻し満州事変が起こされた。それによって，日中両軍が戦闘状態となり，日中戦争へと発展した。

3 陸海軍の青年将校や右翼団体が5・15事件や2・26事件を起こし，首相や大臣の殺害を試みた。しかしその試みはすべて失敗し，これらの事件を契機に軍部の発言力が弱まった。

4 日中戦争が始まると，政府は国民に節約や貯蓄を奨励した。そして国家総動員法を制定し，戦争目的のために，政府はすべての人的・物的資源を議会の承認なしに無条件に動員できることとした。

5 日本は真珠湾を奇襲攻撃してアメリカに宣戦を布告し，また，ソ連にも宣戦を布告して広大なシベリアの領土を占領した。

解説

正答 4

❶ × 1930年代は昭和恐慌から始まる。世界恐慌のあおりを受けて，アメリカの生糸の需要が激減し養蚕農家は大打撃を受けた。また，米価が暴落して深刻な不況となった。

❷ × 因果がおかしい。柳条湖事件をきっかけに日本は満州事変を起こして，満州国を作った。また，日中戦争は1937年の盧溝橋事件がきっかけなので，満州事変がきっかけではない。

❸ × 5・15事件では犬養毅首相が殺され，2・26事件では高橋是清蔵相と斎藤実内大臣が殺害された。「すべて失敗」というのは誤り。また，2・26事件の結果，軍部の発言力が増大したので，この点も誤り。

❹ ○ そのとおり。国家総動員法は1938年に第一次近衛文麿内閣の下で成立した。これにより，総力戦の体制が出来上がった。

❺ × アメリカに対しては真珠湾を奇襲攻撃し，その後宣戦布告をしたので正しい。しかし，ソ連との間では日ソ中立条約を結んでいたので，宣戦布告をしていない。

政党内閣の歴史

1898	**隈板内閣**(わいはん)（第一次大隈重信内閣）→初めての政党内閣→尾崎行雄の共和党演説で総辞職
1918	**原敬内閣**→初めての**本格的**政党内閣，普通選挙には反対
1924	**加藤高明内閣**→**普通選挙法**（25歳以上の男子），**治安維持法**，日ソ基本条約→以後1932年の5・15事件まで8年間の政党内閣（憲政の常道）

加藤高明内閣は，普通選挙法を成立させて，男子普通選挙を実現させたが，無産政党対策はとられなかった。

正解 ✕ 労働者などの無産政党対策として，治安維持法を抱き合わせで作った。

15 現代の日本

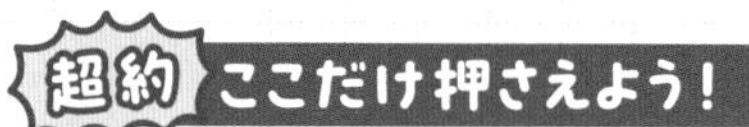

① 間接統治下の日本

（1）マッカーサーの五大改革指令（対 幣原（しではら）内閣）

女性の解放	1945年に普通選挙法改正で20歳以上男女に選挙権→翌年の戦後初選挙で39人の女性代議士が誕生
労働組合結成の促進	労働組合法→労働関係調整法→労働基準法という順番で制定
教育の自由化	修身・国史・地理などの授業停止，教育基本法→義務教育９年（６・３制），学校教育法→６・３・３・４制
圧制的諸制度の撤廃	治安維持法，特高を廃止，公職追放 公職追放 後々，追放されていた政治家や軍人は追放が解かれたんだよ。軍人は警察予備隊に多く採用されていったんだ。
経済の民主化	❶財閥解体→持株会社整理委員会の設置→独占禁止法・過度経済力集中排除法の制定 ❷農地改革→第一次は中途半端，第二次（自作農創設特別措置法）で徹底→結果，零細自作農が大半に

（2）経済安定９原則（対 吉田内閣）

傾斜生産方式（基幹部門に集中投資）→インフレ→経済安定９原則・ドッジ・ラインで超均衡予算・単一為替レート（１ドル360円の固定相場）→デフレ（ドッジ・デフレ）→朝鮮戦争による特需→高度経済成長期（1955～1973年の19年間）

ドッジ・ライン
同時期に２度のシャウプ勧告で，直接税中心主義になったよ（戦前は間接税中心主義）。

ここだけ

② 戦後政治史（主な首相のみ）

首相名	出来事
吉田茂	サンフランシスコ平和条約，同日に日米安全保障条約（駐留米軍を認めるが，米に日本防衛義務なし），IMF加盟（14条国）
鳩山一郎	GATT加盟，自由民主党結成（自由党と日本民主党が保守合同）→55年体制確立，日ソ共同宣言→国際連合加盟
岸信介	日米相互協力および安全保障条約（日米新安全保障条約）（日米共同防衛義務を明記，事前協議制導入），安保闘争で退陣
池田勇人（はやと）	所得倍増計画（10年足らずで達成），IMF8条国に移行・OECD加盟→先進国の仲間入り，東京五輪
佐藤栄作	日韓基本条約（韓国との国交正常化），武器輸出３原則，非核三原則，小笠原諸島返還，日米繊維摩擦の解決を約束→沖縄返還
田中角栄	列島改造論，日中共同声明（中国と国交正常化），第一次オイルショック→高度経済成長に終止符
福田赳夫（たけお）	日中平和友好条約，日米ガイドライン，福田ドクトリン（ASEAN重視の外交）
中曽根康弘	「増税なき財政再建」，三公社民営化（電電公社→NTT，日本専売公社→JT，国鉄→JR），プラザ合意（アメリカのドル高を是正する合意）→円高不況
竹下登	消費税３％導入
宮沢喜一	PKO協力法→カンボジアに自衛隊派遣，内閣不信任で総選挙
細川護熙（もりひろ）	７党１会派の非自民連立内閣（55年体制崩壊），政治改革関連法４法（小選挙区比例代表並立制導入，政党助成法，政治資金規正法改正など）

55年体制確立
自民党と社会党の議席数は約2:1。38年間ほぼ自民党の単独政権が続いたよ。自民党は改憲，社会党は護憲だね。

厳選問題

日本の戦後史に関する次のア～オの記述のうち，妥当なものの組合せはどれか。　【地方上級】

ア　1950年に朝鮮戦争が始まると警察予備隊が創設されたが，公職追放された職業軍人の起用はなかった。

イ　1951年に結ばれたサンフランシスコ平和条約により，沖縄と小笠原諸島の返還が実現した。

ウ　1956年の日ソ共同宣言調印により，ソ連の支持を得て，同年末に国際連合加盟を果たした。

エ　1960年に岸内閣が日米安全保障条約の締結を行うと，革新勢力や学生らから反対運動が起こり，衆議院で条約批准が強行採決されると安保闘争が激化し，岸内閣は総辞職した。

オ　1965年の日韓基本条約締結により，日韓の国交が正常化し，また，日本は，韓国政府を「朝鮮にある唯一の合法的な政府」とする政策を継続することとなった。

1　ア，ウ

2　ア，エ

3　イ，エ

4　イ，オ

5　ウ，オ

解説

正答 5

ア	×	公職追放されていた軍人や政治家の追放は解かれ，旧軍人らは警察予備隊に多く採用された。
イ	×	小笠原諸島の返還は1968年，沖縄返還は1972年である。当時の内閣総理大臣は佐藤栄作。
ウ	○	日ソ共同宣言でソ連との国交を回復したため，国際連合に加盟できた。
エ	×	日米安全保障条約は，1951年のサンフランシスコ平和条約と同日に結ばれた。岸信介内閣時に結ばれたのは，日米新安全保障条約。
オ	○	日韓基本条約は，佐藤栄作内閣時に締結された。

もう1点GET +α

55年体制の流れ

1955.10	日本社会党の再統一
1955.11	自由党と日本民主党の合同（保守合同）→自由民主党結成 ↓ 形式的には二大政党制 実際は自民党：社会党＝2：1（一党優位政党制）
1993	宮沢内閣に不信任可決→解散総選挙 非自民7党1会派の連立内閣が成立（細川内閣＝日本新党代表）
1994	細川内閣の後に続いた羽田内閣が64日で退陣→社会党・自民党・新党さきがけの連立政党である村山内閣が誕生（戦後２度目の社会党内閣）

1問1答

1993年の総選挙の結果，非自民の７党１会派による村山内閣が成立した。

正解 ✕ 細川内閣の誤り。

厳選問題

55年体制下の日本に関する次の記述のうち，妥当なものはどれか。 【地方上級】

1 単独政権を続けた自民党は与党として護憲を掲げ，一方，野党第一党の社会党は憲法改正をめざした。

2 1960年代にはラジオが著しく普及し，70年代になるとラジオから白黒テレビの普及に代わり，80年代に入ると白黒テレビの普及率は90%を超えた。

3 生産過剰となった米の生産量を抑制するための減反政策は，1970年代に廃止となった。

4 日本経済は，1955年頃から60年代を通じて年平均10%を超える経済成長を遂げ，70年代の石油危機以降は低成長時代に移行した。1980年代後半にはバブル経済に沸いたが，1991年にバブル経済は崩壊し，それ以後は景気の低迷が続いた。

5 沖縄の返還は冷戦の影響で遅れ，1990年代に入ってようやく沖縄返還協定が結ばれ，沖縄県の復活が実現した。

解説

正答 4

❶	×	自民党＝改憲，社会党＝護憲である。
❷	×	ラジオは1925年に放送が始まった。1960年代に普及したのではない。また，第一次高度成長期（1955～65年頃）に「三種の神器」である白黒テレビ，電気洗濯機，電気冷蔵庫が普及した。これにより，白黒テレビは1960年代に普及率90％を超えた。1970年代になるとテレビはカラーテレビとなっていった（もう1点GET +α 参照）。
❸	×	減反政策が廃止されたのは，2018年。
❹	○	そのとおり。高度経済成長期は，一般に1955年から1973年までといわれる。第一次石油危機発生以降は，低成長時代に移行した。1980年代後半に一時バブル景気が到来したが，それも1991年に崩壊し，その後は景気低迷の時代を迎えた（失われた10年）。
❺	×	沖縄県の復活（返還）は1972年である。

もう1点GET +α 三種の神器と新三種の神器（３Ｃ）

時期	内容
第一次高度成長期（1955～65年頃）	三種の神器 白黒テレビ，電気洗濯機，電気冷蔵庫 ※ 白黒テレビは1960年代に普及率90％超え
第二次高度成長期（1965～73年頃）	新三種の神器（３Ｃ） カラーテレビ，カー（乗用車），クーラー ※ カラーテレビは1970年代半ばに普及率90％超え

1問1答

1990年代は，「新三種の神器」といわれたカラーテレビ・カー（乗用車）・クーラーの普及が進み，このうちカラーテレビの普及率が初めて90％を超えた。

正解 ✕ 1970年代の誤り。

16 第二次世界大戦後の情勢

ここだけ① 冷戦

(1)対立構造

❶～❻はできた順番

❶西　トルーマン・ドクトリン（共産党封じ込め政策）

❷西　マーシャル・プラン（ヨーロッパ経済復興援助計画）

↕ 対抗

❸東　コミンフォルム(共産党情報局)

❹東　COMECON(東欧経済相互援助会議)

↓ 軍事に拡大（❶→❺）

❺西　北大西洋条約機構(NATO)結成
→西側12か国

↕ 対抗

❻東　ワルシャワ条約機構(WTO)結成
→東側８か国

【ポイント】
・西が動いて東が動く→東の施策・組織は残っていない(西はNATOが現存)
・経済→軍事へという流れ

(2)第二次世界大戦後のアジア

朝鮮半島	1948：南＝米が占領 →**大韓民国建国**(李承晩(りしょうばん))，北＝ソ連が占領 →**朝鮮民主主義人民共和国建国**(金日成) 1950～53：**朝鮮戦争**(北朝鮮が38度線を突破して南下) →国連は北朝鮮への武力制裁を決議し，米主体の軍隊が派遣→北朝鮮側に**中国の人民義勇軍**が支援 →朝鮮戦争休戦協定(北緯38度線が休戦ライン)

中国	1935〜37：抗日民族統一戦線（第二次国共合作）→戦後再び内戦へ **蒋介石**（しょうかいせき）**（国民党）**vs.**毛沢東（共産党）** 1949：中華人民共和国が建国 →**国民党は台湾に逃れ**中華民国政府として残存（米が支持）
ベトナム	1946〜54：**インドシナ戦争** →ジュネーブ休戦協定でフランスが撤退 →**南北に分断**（北緯17度線）→南は米の援助を受け，ベトナム共和国が成立 1965：**米軍が北爆を開始**（ジョンソン大統領）→ベトナム戦争本格化 1973：**ベトナム和平協定** →ベトナムから米軍が撤退 1976：南北統一 →**ベトナム社会主義共和国**へ
インドネシア	1945：**スカルノ**が独立を宣言 →オランダは認めず →独立戦争へ 1949：ハーグ協定 →インドネシア連邦共和国が成立 1965：**スハルト**の開発独裁
カンボジア	1970年代後半：**ポル・ポト政権**による共産制国家
マレーシア	1965：華人が多い**シンガポールが独立** 1981：**マハティール首相**が**ルックイースト政策**を提唱
ミャンマー	1962：クーデタで軍事政権が樹立 2010：総選挙で軍事政権は解散 2016：**アウンサン・スー・チー**の率いるNLD（国民民主連盟）が総選挙で圧勝した（大統領はティン・チョー氏） 2021：軍がクーデタを起こし，政権を奪取 →内戦状態へ
インド	1947：インド（ヒンドゥー教）とパキスタン（イスラーム教）に分かれて独立 →3度にわたる**インド・パキスタン（印パ）戦争**（**カシミール紛争**）
イスラエル	1948：**ユダヤ人がイスラエルを建国** →アラブ諸国連盟が反発 →**パレスチナ戦争**へ（第四次まで続く）

南北に分断
政権が2つでき，北は東側陣営，南は西側陣営というスタンスをとったよ。

インド・パキスタン（印パ）戦争
第三次戦争後には東パキスタンがバングラディシュになったよ。

厳選問題

第二次世界大戦終了から1950年代にかけて，アジア地域で多くの国が独立・成立したが，その過程でさまざまな対立が生じた。その地域の状況について述べた次の記述のうち，妥当なもの２つの組合せはどれか。 【地方上級】

ア　パレスチナでは，ユダヤ人がイスラエルを建国し，それを認めない周辺のアラブ諸国とパレスチナ戦争（第一次中東戦争）となった。

イ　インドでは，インドとパキスタンが分離して独立し，独立後も対立を続けた。インドは共産党が一党支配を行い，第三勢力とは一線を画した。

ウ　ベトナムでは，宗主国フランスとの戦争が続く中で２つの政権が誕生し，冷戦の下で北ベトナムは東側陣営に，南ベトナムは西側陣営に属することとなった。

エ　中国では，蒋介石が中華人民共和国の建国を宣言し，国民党の毛沢東は台湾に逃亡し，中華民国政府を建てた。

オ　朝鮮はその全土をアメリカが占領していたが，金日成が北部に朝鮮民主主義人民共和国を建国して南部に侵攻し，朝鮮戦争が勃発した。

1　ア，ウ

2　ア，オ

3　イ，ウ

4　イ，エ

5　エ，オ

解説

正答 1

ア ○ 1948年，国連のパレスチナ分割案によってユダヤ人がイスラエルを建国したが，これに対してアラブ諸国が反発し，パレスチナ戦争(第1次中東戦争)が始まった。

イ × インドはネルーが首相となり，東西両陣営のいずれにも属しない非同盟主義を推進した(第三勢力)。したがって，「共産党が一党支配を行い，第三勢力とは一線を画した」との記述は誤り。

ウ ○ ベトナムは南北に分断され，北は東側陣営に，南は西側陣営に組み込まれた。

エ × 中華人民共和国を建国したのは毛沢東。国民党の蔣介石が台湾に逃亡し，中華民国政府を建てた。

オ × 朝鮮は北緯38度線を境に北をソ連が，南をアメリカが占領していた。

もう1点GET +α

中国の戦後

1958	毛沢東が**大躍進運動**を推進→失敗→劉少奇(りゅうしょうき)が国家主席に
1966~76	**プロレタリア文化大革命**→経済停滞
1978	**鄧小平**(とうしょうへい)が改革・開放政策へシフト(「四つの現代化」という)
1989	**天安門事件**→民主派を人民解放軍が武力で鎮圧
1997	香港がイギリスから返還される→返還後50年間は一国二制度が保障

1問1答

1960年代には，毛沢東が政治の実権回復を図ってプロレタリア文化大革命を始めた。この運動は経済の開放政策を推進するもので，中国経済に著しい発展をもたらした。

× プロレタリア文化大革命は，大躍進運動で失敗した毛沢東が実権奪還のために行った大衆運動を利用した権力闘争である。しかし，社会機能の混乱と経済停滞を招いた。1978年から鄧小平が指揮したのが改革・開放政策である。

厳選問題

第二次世界大戦後の東南アジア諸国に関する次の記述のうち，記述内容と国名の組合せが妥当なものはどれか。 【地方上級】

1 第一次インドシナ戦争でフランスから独立を勝ち取ったものの南北に分断されて内戦となり，南を支援するアメリカの本格介入を受けて泥沼化したが，1973年に和平協定が結ばれて米軍が撤退し，76年に社会主義国家として統一を果たした。―インドネシア

2 1962年にクーデタで軍事政権が樹立され，その後も軍政が長く続いたが，2010年の総選挙で軍事政権が正式に解散し，文民政権が発足した。しかし，その後も軍は大きな影響力を持ち続け，2021年にクーデタを起こして政権を奪取し，現在国内では内戦状態が続いている。―マレーシア

3 1970年代後半に，急進左派のポル･ポト政権による過激な共産制国家，民主カンプチアが樹立され，都市から農村への住民の大量移動，反対派の大量虐殺，通貨の廃止などが行われた。―カンボジア

4 1965年のクーデタで失脚したスカルノに代わって実権を握ったスハルトは，スカルノ独裁下で勢力を伸ばした共産党勢力を一掃し，親米反共路線をとって長期軍事政権を樹立し，開発独裁を行った。1997年のアジア通貨危機に対応できず辞任した。―ミャンマー

5 1965年に，中国系住民の多いシンガポールがマレー人優遇政策に不満を持ち分離･独立した。1981年に首相に就任したマハティール首相が，西欧ではなく，「東方」に位置する日本や韓国の労働倫理や高い勤労意欲などに発展モデルを求めたルックイースト政策を提唱して，経済発展を遂げた。―ベトナム

解説

正答 3

❶ × インドシナ戦争やベトナム戦争の記述が見られるので，ベトナム。

❷ × 軍事政権から文民政権への移行の流れを見て取れるため，ミャンマー。

❸ ○ そのとおり。ポル・ポト政権や民主カンプチアというキーワードより，カンボジア。

❹ × スカルノからスハルトへの実権の移動が書かれているので，インドネシア。

❺ × シンガポールの独立やマハティール首相，ルックイースト政策などの記述が見られるので，マレーシア。

もう1点GET +α

冷戦のアウトライン

1948	4か国分割占領の下に置かれていたドイツで**ベルリン封鎖**→封鎖解除後，**東西ドイツは分裂**
1961	**ベルリンの壁構築**→東ドイツが国民の流出防止のため作る
1962	**キューバ危機**→ソ連がキューバにミサイル基地を建設→ケネディ大統領が**キューバ海上を封鎖**→ソ連のフルシチョフがミサイルを撤去したことで**核戦争に至らず**→ホットライン協定
1989	11月:**ベルリンの壁崩壊** 12月:**マルタ会談**(アメリカ→ブッシュ〈父〉，ソ連→ゴルバチョフ)で**冷戦終結**
1990	**東西ドイツの統一**(東ドイツは西ドイツに吸収された)
1991	アルマアタ宣言→**ソ連が崩壊**→独立国家共同体(CIS)へ

冷戦終結
冷戦の始まりと終わりをとらえて「ヤルタからマルタまで」といわれるね。

1問1答

マルタ会談はベルリンの壁が崩壊し，東西ドイツが統一された後に開かれた。

× 東西ドイツが統一される前に開かれた。

17 第一次世界大戦から第二次世界大戦

超約 ここだけ押さえよう！

ここだけ① 第一次世界大戦(1914～1918)

原因	サライェヴォ事件→オーストリアがセルビアに宣戦布告→第一次世界大戦開始
構図	三国同盟(ドイツ・オーストリア・イタリア) 三国協商(イギリス・フランス・ロシア)
戦況	●イギリス→オスマン帝国領の分割領有についてフランス・ロシアと密約を結ぶ(サイクス・ピコ協定)。パレスチナの地を巡りフサイン・マクマホン協定でアラブ人に独立を約束，反面バルフォア宣言でユダヤ人の復帰運動を支援(三枚舌外交) ●ロシア→途中で戦線離脱(ロシア革命「3月革命と11月革命」の影響)→ブレスト・リトフスク条約でドイツと単独講和(ロシアに不利な内容) ●アメリカ→最初は不参加→物資供給で債務国から債権国へ→ドイツの「無制限潜水艦作戦」を見てウィルソン大統領が参加
講和	●パリ講和会議でヴェルサイユ条約を締結(ヴェルサイユ体制)→ドイツは海外領土をすべて失い，多額の賠償金を課せられる ●ウィルソン大統領が「平和14か条の原則」を提唱→民族自決(東欧のみ)，秘密外交の禁止，国際連盟設立(本部ジュネーブ)→常任理事国＝英，仏，伊，日(アメリカは上院の否決で参加できず)

イタリア
イタリアは三国同盟を結んでいたけど，離脱して1915年に三国協商側で参戦したんだ。日本も日英同盟があったから三国協商側だね。

3月革命と11月革命
3月革命では，ニコライ2世が退位し，帝政(ロマノフ朝)が崩壊，11月革命では，レーニン率いるボリシェヴィキ(多数派)が武装蜂起し，ケレンスキー率いる臨時政府を倒したよ。

戦間期

1921～1922年にワシントン会議で３つの条約(**四か国条約**，**九か国条約**，**ワシントン海軍軍縮条約**)が結ばれた(**ワシントン体制**)。

アメリカ	**フランクリン・ローズヴェルト大統領**が**ニューディール政策**を実施 ❶**農業調整法**(AAA)(1933)，❷**全国産業復興法**(NIRA)(1933)，❸**テネシー川流域開発公社**(TVA)(1933)，❹**ワグナー法**(1935)，❺**連邦社会保障法**(1935)
イギリス	**マクドナルド挙国一致内閣**(労働党)(1931)→**スターリング・ブロック**(1932)
フランス	**ポワンカレ内閣**(ルール地方を差押え)→失敗(1923～1925)→**フラン・ブロック**→**ブルム内閣**(反ファシズムの人民戦線内閣)(1936)
イタリア	ローマ進軍(1922)→**ムッソリーニ**によるファシスト党内閣が成立→**エチオピア侵攻**(1935)→国際連盟脱退(1937)
ドイツ	**ヴァイマル憲法**制定(1919)で混乱→ハイパーインフレ→**シュトレーゼマン外交**(新レンテンマルク発行)→インフレ収束→**ロカルノ条約**(1925)→国際連盟加盟(1926)→**ヒトラーが首相**に→**全権委任法**(1933)→国際連盟脱退
ソ連	**新経済政策**(ネップ，1921)→ソビエト連邦成立(1922)→第一次５か年計画(**重**工業)(1928)→第二次５か年計画(**軽**工業)(1933)→**世界恐慌の影響を受けず**

ここだけ

③ 第二次世界大戦

原因	ドイツが**オーストリア併合**(1938.3)→**ミュンヘン会談**(1938.9)でチェコの**ズデーテン地方**をドイツに割譲(融和策)→ドイツが**ポーランド侵攻**(1939)→イギリス・フランスがドイツに宣戦布告し応戦
戦況	ドイツが**フランス**に侵攻・降伏させる→イギリスは応戦→ドイツ軍がソ連に侵入(1941)→**ソ連がドイツ軍を降伏させる**(形勢が転換)→**ノルマンディー上陸作戦(第二戦線)**(1944)→パリを解放→ドイツ降伏(1945)

厳選問題

第一次世界大戦後の世界の状況に関する次の記述のうち，妥当なものはどれか。 【市役所】

1 第一次世界大戦の講和には無賠償の原則が適用され，戦勝国であるイギリスやフランスは，敗戦国であるドイツに対し，賠償金や領土の割譲を要求しなかった。

2 第一次世界大戦中，戦後の独立を条件としてイギリスに対する戦争協力を行ったインドは，戦後すぐに独立を達成した。

3 第一次世界大戦後，イギリスは経済的に大いに繁栄し，アメリカは経済が停滞した。

4 国際連盟が設立され，イギリス・フランスなどは常任理事国となったが，アメリカは参加しなかった。

5 ワシントン会議が開かれ軍縮について話し合われたが，海軍の軍縮は実現されなかった。

解説

正答 4

❶	×	ドイツは多額の賠償金を課せられ，すべての海外領土・植民地を失った。
❷	×	イギリスは，戦後の自治を見返りとして，インドに兵員や物資の供給などの協力をさせたが，戦争に勝利した後も形式的な自治しか認めず，独立を求める民族運動を抑圧した（もう1点GET +α 参照）。インドの独立は，第二次世界大戦後の1947年である。
❸	×	イギリスとアメリカの説明が逆である。イギリスは多額の戦債を負って経済不振に陥り，アメリカは大戦中に軍事物資を供給して経済発展を遂げ，債務国から債権国となった。
❹	○	そのとおり。アメリカは終始参加しなかった。
❺	×	ワシントン海軍軍縮条約が結ばれ，主力艦の保有トン数が制限された。米：英：日＝5：5：3の割合となった。

もう1点GET +α インドの独立

❶イギリスは，第一次世界大戦の戦争協力に対する見返りとしてインドの自治を約束したが，形式的な自治しか認めなかった。

↓むしろ

❷1919年に「**ローラット法**」を施行して，令状なしの逮捕や裁判なしの投獄を行い，**民族運動を抑圧**した。

↓これに対して

❸**ガンディー**が**非暴力・不服従**の民族運動で抵抗。1930年には「**塩の行進**」を展開。

↓結局

❹インドの独立は，**第二次世界大戦後の1947年**となった。

1問1答

第一次世界大戦後，イギリスはインドの民族運動の高まりに対して，ローラット法を施行し，大幅な自治を認めた。

正解 × ローラット法は弾圧立法である。自治を認めるものではない。

18 市民革命・産業革命

ランク A

ここだけ押さえよう！

ここだけ① 市民革命

(1)イギリス

1642	ピューリタン(清教徒)革命が勃発→議会派のクロムウェルが台頭し，チャールズ1世を処刑→共和政へ→クロムウェルが護国卿となり，独裁政治を開始
1660	クロムウェルの死後，チャールズ2世が王政復古
1685	チャールズ2世が病死→弟ジェームズ2世が国王になる→専制政治
1688	名誉革命がおこる。ジェームズ2世を国外追放→ウィリアム3世，メアリ2世が即位し(共同統治)→権利の宣言を承認。これを権利の章典として発布→立憲政治の基礎が確立

(2)フランス革命

1789	三部会を開催→議決方法が不平等→第三身分たちが国民議会を結成し，テニスコート(球戯場)の誓いを行う→バスチーユ牢獄の襲撃(フランス革命の開始)→国民議会が人権宣言を採択(ラ・ファイエットが起草) テニスコート(球戯場)の誓い「新しい憲法を作るまでは国民議会は解散しない！」と誓ったんだね。
1791	ヴァレンヌ逃亡事件(ルイ16世が国外逃亡に失敗し，信頼を失う)→国民議会が1791年憲法を制定(立憲君主政を規定)→国民議会は解散→制限選挙で議員を選び立法議会を召集
1792	ヴァルミーの戦いでオーストリア・プロイセン軍を破る ルイ16世を幽閉→男子普通選挙で国民公会が成立→第一共和政

1793	ルイ16世をギロチンで処刑→イギリス首相ピットが第１回対仏大同盟→ジャコバン派のロベスピエールが恐怖政治を実行
1794	テルミドール９日のクーデタ→ロベスピエール処刑→総裁政府へ
1799	ブリュメール18日のクーデタ→ナポレオンが総裁政府を倒す
1804	国民投票でナポレオンが皇帝に→第一帝政
1805	トラファルガーの海戦→イギリスに敗れる アウステルリッツの三帝会戦→オーストリア，ロシア連合軍を撃破
1806	大陸封鎖令→諸国にイギリスとの貿易を禁じる→ロシアが破る
1812	モスクワ遠征→寒さのあまりロシアに大敗
1815	ワーテルローの戦いで大敗→セントヘレナ島へ流刑→ルイ18世が復位→ブルボン朝復活（ウィーン体制＝正統主義の保守反動体制へ）

1793
メートル法が制定され，度量衡の新基準が定められたよ。

正統主義の保守反動体制アンシャン・レジームというよ。

ここだけ
② 産業革命

背景	イギリスが最初 ❶資源が豊富→綿花を輸入でき，石炭や鉄などは自国でとれた ❷第二次囲い込み→領主（領国の支配者）が土地を独占→農民が都市へ流入→豊富な労働力へ
内容	ワットが蒸気機関を改良→蒸気機関を動力とした機械が発明される 例：ミュール紡績機，カートライトの力織機，スティーヴンソンの蒸気機関車，フルトンの蒸気船
効果	● 産業資本家が登場→選挙権を獲得 ● 労働者・商工業者→選挙権を獲得できず（チャーティスト運動） ● 労働者は低賃金で長時間拘束の下で働く（人々の商品化） ● ラダイト運動（機械打ち壊し運動）が起こる ● 19世紀に各国へと波及→19世紀末にアメリカがイギリスを抜く

厳選問題

フランス革命期に関する次の記述のうち，妥当なものはどれか。

【地方上級】

1 バスティーユ牢獄が襲撃されてフランス革命が勃発すると，国王ルイ16世は封建的特権の廃止を宣言し，ラ・ファイエットらが起草した人権宣言を発布した。

2 国王の処刑後，第１回対仏大同盟の結成など内外の危機を打開するため，急進派のジロンド派はジャコバン派議員を追放し，ロベスピエールらを指導者とするジロンド派の独裁が実現して恐怖政治が始まった。

3 恐怖政治への不満が高まり，ロベスピエールは反対派に捕えられ処刑された。これをブリュメール18日のクーデタという。この後総裁政府が成立したが政局は不安定で，国民は社会秩序の安定を切望した。

4 ナポレオン法典の制定により特権階級の特権は維持されることとなり，正統主義の原則に立つ保守反動の体制が作られることとなった。

5 フランス革命時代に度量衡の統一が進められ，パリを通る子午線の長さの4,000分の１を１メートルとし，それを基準に容積・質量の単位も10進法で組織だてたメートル法が制定された。

解説

正答 5

❶ × 封建的特権の廃止宣言や人権宣言の発布は国民議会が行った。

❷ × 急進派はジャコバン派で穏健派はジロンド派。また，ジャコバン派のロベスピエールが恐怖政治を行った。

❸ × ロベスピエールが処刑された事件はテルミドール９日のクーデタ。ブリュメール18日のクーデタは，ナポレオンが総裁政府を倒した事件。

❹ × 正統主義の原則に立つ保守反動の体制が作られたのは，ナポレオン時代の後のウィーン体制においてである。

❺ ○ そのとおり。度量衡の統一はメートル法によって実現した。

もう1点GET +α

アメリカの独立

1765	**印紙法**→文書や新聞に印紙を貼ることを要求し課税
1773	**茶法**→イギリス本国がアメリカ植民地に紅茶を売りつけ，そこで課税→ボストン茶会事件へ
1774	**第１回大陸会議**（フィラデルフィア）→今後のアメリカのあり方について話し合う
1775	ボストン郊外の**レキシントンとコンコードで戦い**→独立戦争が始まる
1776	**アメリカ独立宣言**（**トマス・ジェファソン**起草）→ロックの影響
1781	植民地側はフランスやスペイン，オランダの援助を受けて，**ヨークタウンの戦い**に勝利（事実上の勝利）
1783	**パリ条約**で講和。13州の植民地は独立を達成

1問1答

アメリカ独立戦争は，レキシントンとコンコードの戦いから始まった。そして，独立を果たした後にトマス・ジェファソンが独立宣言を起草した。

× 独立宣言が起草されたのは，戦争中の1776年である。

19 気候・土壌

ここだけ押さえよう！

①ケッペンの気候区分と農業

気温と降水量をもとに，植生との関係に着目して５つの気候帯に分類。

熱帯(A)	熱帯雨林気候(Af)	密林(ブラジル＝セルバ，コンゴ・インドネシア＝ジャングル)，気温の年較差㊗，焼畑農業
	サバナ気候(Aw)	疎林(オリノコ川流域＝リャノ，ブラジル＝カンポ，パラグアイ・アルゼンチン＝グランチャコ)，長草草原，雨季と乾季が明瞭，気温の年較差㊗
乾燥帯(B)	砂漠気候(BW)	年降水量250mm未満，気温の日較差㊅，オアシス農業，植生はほとんどなし，土壌の塩性化
	ステップ気候(BS)	年降水量250～500mm，砂漠の周辺に位置，長い乾季と短い雨季，短草草原(グレートプレーンズ，乾燥パンパ)，遊牧
温帯(C) 最寒月が－３℃以上18℃未満，最暖月10℃以上	温暖湿潤気候(Cfa)	中緯度の大陸東岸，気温の年較差が㊅，季節風の影響で四季の変化あり，常緑広葉樹林(照葉樹林)や落葉広葉樹林，混交林が見られる
	西岸海洋性気候(Cfb)	中緯度の大陸西岸，夏涼しく冬暖かい，気温の年較差㊗，偏西風，北大西洋海流(暖流)，酪農や混合農業が行われる
	地中海性気候(Cs)	夏は高温乾燥，冬は温暖降水あり。乾燥に強い硬葉樹(コルクガシ，オリーブ)が分布，夏は乾燥に強いブドウ，オレンジ栽培。冬は小麦栽培
	温暖冬季少雨気候(Cw)	中国南部→夏は高温多雨，冬は温暖少雨，常緑広葉樹林(照葉樹林)

冷帯(D) 最寒月－3℃未満，最暖月10℃以上	冷帯湿潤気候(Df)	南部に落葉広葉樹と針葉樹の混交林，北部に**タイガ**(針葉樹林の純林)
	冷帯冬季少雨気候(Dw)	ユーラシア大陸北東部のみに存在(シベリア東部)，最寒地点
寒帯(E)	ツンドラ気候(ET)	**0℃を超える短い夏**に**永久凍土**(ツンドラ)の表層がとける。**地衣類・蘚苔類**(カビ，コケ)の湿草原，エクメーネ(居住地域)，トナカイの遊牧
	氷雪気候(EF)	**年中雪や氷**に覆われている。冬にブリザード，植生なし，**アネクメーネ**(非居住地域)，グリーンランド内陸部と南極大陸

ここだけ② 土壌(成帯土壌)

成帯土壌は，気候や植生と関連するので気候区分と一緒に問われることがある。

熱帯	● ラトソル：**熱帯雨林気候**に見られる**赤色**土壌。鉄やアルミニウムの酸化物を含むため，**酸性度が高く農耕には不向き** ● ラテライト：**サバナ気候**に見られ，ラトソルが乾燥してできた土壌。**酸性度が高く農耕には不向き**
乾燥帯	● 砂漠土：砂漠気候に分布。腐植が少なく**強アルカリ性**なので，農耕には不向き ● チェルノーゼム：ステップ気候(ウクライナ～ロシア西南部)に見られる**黒色**土壌。**小麦栽培に使える肥沃度の高い土** ● 栗色土：グレートプレーンズや乾燥パンパに広がる土壌
温帯	● プレーリー土・パンパ土：温帯草原に広がる土壌。**黒色**で**肥沃度が高い** ● 褐色森林土：落葉樹の堆積でできる土壌。肥沃度はまあまあ
冷帯	● ポドゾル：**酸性度の高い灰白色**の土壌。**肥沃度が低く，農耕には不向き**
寒帯	● ツンドラ土：永久凍土の表層が解けて湿地となるだけ。農耕には不向き

厳選問題

ケッペンの気候区分と植生に関する次の記述のうち，妥当なものをすべて挙げた組合せはどれか。【地方上級】

ア　熱帯雨林気候は赤道付近の低緯度地域に見られ，１年を通して高温で降水量も多い。非常に多くの種類の樹木が生育して腐植層が蓄えられ，肥沃な黒色土となっている。

イ　砂漠気候は降水量が極めて少なく気温の日較差が大きい。植生はほとんど見られない。灌漑の影響等を原因とする土壌の塩性化が見られる。

ウ　温暖湿潤気候は四季の変化が明瞭で，夏は高温になることもあり，シイ，カシなどの常緑広葉樹林が広く見られる。冬に低温になる所ではブナなどの落葉広葉樹林が見られる。

エ　南北両極の周辺は，非常に寒冷なツンドラ気候や氷雪気候になっている。ツンドラ気候では針葉樹林帯が広がり，氷雪気候では樹林は見られないが，短い夏に永久凍土の上にコケや草が生える。

1　ア，イ

2　ア，ウ

3　イ，ウ

4　イ，エ

5　ウ，エ

解説

正答 3

ア ×　熱帯雨林気候の土壌はラトソル。赤色の土壌で酸性度が高く，腐植が乏しいため肥沃度が低い。腐植を多く含む肥沃な黒色土はチェルノーゼムやプレーリー土，パンパ土などである。

イ ○　砂漠気候は，無樹林気候であるため，植生はほとんどない。また，灌漑（かんがい）による土壌の塩性化が見られる。

ウ ○　常緑広葉樹林のみならず落葉広葉樹林も広く分布している点がポイント。

エ ×　針葉樹林帯が広がるのは冷帯湿潤気候である。ツンドラ気候では，短い夏に永久凍土（ツンドラ）の表層が解けて地衣類，蘚苔類が生える。一方，氷雪気候は，植生は見られない。

もう1点GET +α

樹林の種類

常緑広葉樹（照葉樹）	シイ・カシ・タブノキ・クスノキなど。温暖湿潤気候や地中海性気候に分布
落葉広葉樹	ブナ・ナラ・ケヤキ・クリなど。温暖湿潤気候や西海洋性気候に分布
硬葉樹	コルクガシ・オリーブ・オレンジなど。地中海性気候に分布
針葉樹	常緑針葉樹（エゾマツ・トドマツ），落葉針葉樹（カラマツ）など，西海洋性気候北部，冷帯湿潤気候・冷帯冬季少雨気候に分布

1問1答

地中海性気候では，夏に降水量が少ないため，乾燥に強いブナなどの落葉広葉樹が多く見られる。

正解 ×　落葉広葉樹が多いのは温暖湿潤気候や西岸海洋性気候。地中海性気候はコルクガシ，オリーブなど乾燥に強い硬葉樹が多い。

厳選問題

次の文は，温帯の気候に関する記述であるが，文中の空所A～Dに該当する語の組合せとして，妥当なのはどれか。【特別区】

温帯は，四季の変化がはっきりした温和な気候に恵まれ，人間活動が活発に見られるのが特徴である。

ヨーロッパの西岸では［A］が吹くため，冬は温和で夏は涼しく，季節にかかわらず適度な降水があり，穀物栽培と牧畜が組み合わされた混合農業や［B］が広く行われている。また，森林では，［C］が多く見られる。

東アジアでは，［D］が吹くため，夏は高温で冬は寒冷となっており，稲作が広く行われている。

	A	B	C	D
1	季節風	遊牧	針葉樹	極偏東風
2	季節風	酪農	落葉広葉樹	偏西風
3	極偏東風	酪農	落葉広葉樹	季節風
4	偏西風	遊牧	針葉樹	極偏東風
5	偏西風	酪農	落葉広葉樹	季節風

解説

正答 5

A 偏西風
ヨーロッパ西岸に吹く風ときたら，一年を通して暖流の北大西洋海流上を吹いてくる偏西風。なお，極偏東風は北極圏や南極圏で極高気圧から極低圧帯に向かって吹く東風のこと。

B 酪農
西ヨーロッパで行われている農業ときたら，混合農業，酪農，園芸農業のどれかである。遊牧はステップ気候やツンドラ気候で行われるので，Bに入ることはない。

C 落葉広葉樹
西岸海洋性気候に分布している森林は，落葉広葉樹である。針葉樹も北部には分布するが，冷帯湿潤気候で広がるタイガが有名なので，今回のCに入れるのは妥当でない。

D 季節風
「夏は高温で冬は寒冷となっており，稲作が広く行われている」という記述から，日本を前提に考えていけばよい。温暖湿潤気候で吹く風は季節風である。

もう1点GET +α

風

恒常風 一年中同じ方向で吹く風	偏西風	緯度が35～65度の地域で西から東へ吹く風。対流圏上層で偏西風が卓越している流れを**ジェット気流**という
	貿易風	緯度が30度以下の地域で東から西に吹く風。**貿易風が弱まり**，**ペルー海流が弱まる**と**エルニーニョ現象**となる
季節風(モンスーン) 夏と冬で向きが変わる風	夏は海→陸，冬は陸→海と季節により変わる	

1問1答

貿易風が強まり，寒流のペルー海流が弱まると，海水温が高いまま維持される。これを「エルニーニョ現象」と呼び，世界各地で異常気象をもたらす。

× 貿易風が「弱まり」の誤り。

20 アジア・アフリカ

ここだけ1 アジア

(1)中国

経済特区
上海は経済特区じゃないよ。
経済技術開発区だよ。

中国	● 人口の9割を占める漢民族と**55の少数民族**による多民族国家 ● 一人っ子政策を行っていた(2015年まで) ● 少数民族の**5自治区**(モンゴル族，チベット族，ウイグル族，チョワン族，ホイ族)があり，チョワン族が最大 ● 1970年代後半から**改革・開放政策**を実施→外国資本・技術を導入 ● 臨海部に**経済特区**→外国企業・合弁企業が進出→内陸部との格差拡大 ● 石油や石炭の生産が世界有数だが，**輸入も世界トップクラス**

(2)東南アジア

タイ	唯一独立を保った国，チャオプラヤ川流域→**米の輸出**，外貨で工業化
マレーシア	旧宗主国はイギリス，**イスラーム**教国，**ブミプトラ**(土地の子)政策，パーム油，**ルックイースト**→外貨で工業化
シンガポール	住民の多くが中国系(華人)，マレーシアから独立，**マラッカ海峡**，**アジアNIES**，急速な工業化
ベトナム	旧宗主国はフランス，**インドシナ戦争**で独立，ベトナム戦争→1976年南北統一，**ドイモイ**(刷新)，メコン川下流域→**米の輸出**，コーヒーの輸出
フィリピン	スペイン→アメリカ→独立，人口約1億1,600万人，**7,000の島々**(島嶼(とうしょ)国家)，**カトリックの国**，火山が多い，北部の**ルソン島が最大**，バナナ・パイナップル・ココナッツの栽培，南部のイスラム教徒(**モロ族**)との対立

インドネシア	旧宗主国はオランダ，人口約２億8,000万人，**最大のイスラーム教国**，１万7,000余りの島々（島嶼国家），石油の産出（2016年にOPEC脱退），**ジャカルタ**は**プライメートシティ**（人口の３分の２がジャワ島に集住）

ジャカルタ
2024年から首都をジャワ島のジャカルタからカリマンタン島（ボルネオ島）東部に移転するんだ。新首都名は「ヌサンタラ」だよ。

※ASEAN原加盟国は，タイ，マレーシア，シンガポール，インドネシア，フィリピンで，反共同盟的組織としてスタート。現在は10か国だが，東ティモールが11か国目となることが承認された。東南アジア諸国の人口の合計は６億人を上回る。

ここだけ

② アフリカ

エジプト	旧宗主国はイギリス，**スエズ運河**は地中海と紅海を結ぶ，ナイル川の**円弧状三角州**で農業（ただし，塩害が発生）
アルジェリア	旧宗主国は**フランス**，**アフリカ最大の面積**，石油や天然ガスの輸出国
エチオピア	内陸国，**アフリカ最古の独立国**，カッファ地方のコーヒーが有名
ケニア	旧宗主国はイギリス，赤道直下だが**首都ナイロビは標高があるので過ごしやすい**，**茶・コーヒー**の生産，高原で花の栽培
ナイジェリア	旧宗主国は**イギリス**，**アフリカ最大の人口**，**アフリカ最大の産油国**，**アフリカ最大の経済大国**，**ビアフラ内戦**
コンゴ民主共和国	旧宗主国は**ベルギー**，**熱帯雨林**（ジャングル），コバルト・ダイヤモンドの産出国（資源大国）
南アフリカ	**アパルトヘイト**（1991年に廃止），**マンデラ大統領**（黒人初），ドラケンスバーグ山脈沿いで石炭を採掘

厳選問題

東南アジア諸国に関する次の記述のうち，妥当なものはどれか。

【市役所】

1 東南アジア諸国の中で最も人口の多い国はインドネシアであり，同国は日本よりも人口が多い。また，東南アジア諸国の人口の合計は６億人を上回っている。

2 キリスト教を国教と定めるマレーシアをはじめとして，キリスト教徒が人口の多数を占めている国がほとんどだが，フィリピンなどのように仏教徒が人口の多数を占めている国もある。

3 タイやマレーシアは，国内企業の保護を優先し，長い間外国企業の受入れを行わずに工業化を進めてきた。それに対し，カンボジアやミャンマーは他の東南アジア諸国に先駆けて外国企業を積極的に誘致してきた。

4 ASEAN(東南アジア諸国連合)は，はじめはベトナムなどの社会主義国による地域協力機構だったが，ベトナム戦争終結後は経済協力に力点を置き，加盟国も東南アジア全域に広がった。しかし，フィリピンなどは現在も加盟していない。

5 インドネシアのように，工業製品の輸出額が輸出額全体の多くを占めている国もあるが，シンガポールをはじめとするほとんどの国は，農産品や鉱山資源などの一次産品が輸出の大部分を占めている。

解説

正答 1

1	○	そのとおり。インドネシアの人口は約2億8,000万人で東南アジア最大。
2	×	マレーシアの国教はイスラム教。キリスト教徒の多い国はフィリピンと東ティモールのみである。仏教徒が多いのは，ベトナム，タイ，ラオス，カンボジア，ミャンマー。
3	×	タイやマレーシアは，外国企業を受け入れて工業化を進めてきた。むしろカンボジアやミャンマーは工業化が遅れている。
4	×	ベトナムはASEANの原加盟国ではない。フィリピンは原加盟国である。
5	×	シンガポールはアジアNIESの一員なので，工業製品の輸出が盛ん。なお，現在では多くの国で工業製品が輸出品目の第1位となっている。

もう1点GET +α

南アジア

インド	旧宗主国はイギリス，公用語は**ヒンディー語**，**ヒンドゥー教徒が8割**，**緑の革命**による品種改良，パンジャブ地方の小麦やデカン高原の綿花栽培，アッサム地方の茶，**IT産業**が盛ん（バンガロール）
パキスタン	インダス文明発祥の地，**イスラーム教国**，かつてインドと**カシミール地方**を巡り激しく対立（印パ戦争）
バングラディシュ	**ベンガル人の国**，**イスラーム教国**，ガンジスデルタ地帯（低地）に位置，米とジュートを栽培，**サイクロン**の影響を受ける
ネパール	**山岳国**，ブッダ生誕の地として有名

1問1答

インドでは仏教徒が最も多く，パキスタンとバングラディシュではムスリム（イスラーム教徒）が最も多い。

正解 × インドではヒンドゥー教徒が最も多い。仏教徒は0.7%に過ぎない。

21 地形環境

ランク B

超約 ここだけ押さえよう！

ここだけ① プレートの3つの境界

❶広がる境界：海嶺（かいれい）→海底山脈

❷狭まる境界：衝突帯（チベットやヒマラヤなどの大規模な褶曲（しゅうきょく）山脈）と沈み込み帯（弧状列島や火山列，海溝）がある。

❸ずれる境界：アメリカのカリフォルニアにあるサンアンドレアス断層

ここだけ② 世界の地形

内的営力は，火山活動や地殻変動のことで，大地形が形成される。外的営力は，風化・侵食，堆積・運搬のことで，小地形が形成される

(1)大地形

安定陸塊	先カンブリア代に形成された最も古い地盤が侵食にさらされて平坦化した（地殻変動が不活発）。世界各地に分布。楯状地→準平原が広がる，卓状地→構造平野が広がる
古期造山帯	古生代に形成。低くなだらかな山脈を形成。アパラチア山脈（アメリカ），ウラル山脈（ロシア），グレートディヴァイディング山脈（オーストラリア）など
新期造山帯	中生代末～現在に形成。高く険しい山脈を形成 • アルプス・ヒマラヤ造山帯：チベット高原，ヒマラヤ山脈，アルプス山脈，ピレネー山脈，インドネシア • 環太平洋造山帯：日本列島，ニュージーランド，ロッキー山脈，アンデス山脈，フィリピン

(2)小地形

侵食平野

準平原	**侵食輪廻（りんね）の最終地形**といわれる平野。地形が海面近くまで平坦化し，岩石が露出している。楯状地に多い
構造平野	ほぼ平坦で**地層が水平に堆積**した平野。**卓状地に多い**

卓上地に多い構造平野の地層が選択侵食を受けてできた階段状の地形をケスタというよ。パリ盆地などが有名だね。

沖積平野（堆積平野の一種）

扇状地	扇頂→傾斜が急 扇央→**水が伏流**し水無川。**果樹栽培や桑畑**，**畑作**などで利用 扇端→**湧水**が見られる。水田や集落として利用
氾濫原	自然堤防→蛇行河川の氾濫によって形成された**微高地**（集落や畑などで利用）。堤防上は水はけがよく，洪水による被害が少ない 後背湿地→**自然堤防の背後に広がる湿地**。水はけが悪く水田に利用される
三角州（デルタ）	分流して複数の川になる。地盤は**軟弱**で**砂泥**が堆積。極めて**低湿だが，土壌は肥沃**。農地や人口密集地になることもある。ナイル川河口（円弧状三角州），ミシシッピ川河口（鳥趾状（ちょうしじょう）三角州）など

海岸地形

離水海岸	地盤が隆起，または海面が下降して海底が現れてできた海岸。海岸平野（**九十九里**），海岸段丘（**室戸岬**，足摺岬（あしずりみさき））など
沈水海岸	地盤が沈降，または海面が上昇してできた海岸 ● リアス海岸：**V字谷**が沈水した海岸で，**鋸歯状（きょしじょう）**の海岸線となる。水深が大きい。**スペイン北西部**，三陸海岸など ● フィヨルド：氷食谷である**U字谷**が沈水。水深が大きく，入り江の奥行きが長い。**ノルウェーのソグネフィヨルド**が有名 ● 三角江（エスチュアリー）：河口が沈水してできたラッパ状の入り江。水深が大きく開けているので，**大貿易港**が発達

7章 地理

21 地形環境

厳選問題

世界の地形に関する記述として，妥当なのはどれか。　【特別区】

1　地球表面の起伏である地形をつくる営力には，内的営力と外的営力があるが，内的営力が作用してつくられる地形を小地形といい，外的営力が作用してつくられる地形を大地形という。

2　地球の表面は，硬い岩石でできたプレートに覆われており，プレートの境界は，狭まる境界，広がる境界，ずれる境界の３つに分類される。

3　新期造山帯は，古生代の造山運動によって形成されたものであり，アルプス･ヒマラヤ造山帯と環太平洋造山帯とがある。

4　河川は，山地を削って土砂を運搬し，堆積させて侵食平野をつくるが，侵食平野には，氾濫原，三角州などの地形が見られる。

5　石灰岩からなる地域では，岩の主な成分である炭酸カルシウムが，水に含まれる炭酸と化学反応を起こして岩は溶食され，このことによって乾燥地形がつくられる。

解説

正答 2

❶ × 内的営力＝大地形，外的営力＝小地形である。

❷ ○ そのとおり。境界は３種類ある。

❸ × 新期造山帯は，中生代末から現在に至るまで激しい造山運動を行っている地域である。

❹ × 侵食平野ではなく，沖積平野（堆積平野の一つ）の誤り。沖積平野は扇状地，氾濫原，三角州などからなる。

❺ × 乾燥地形ではなく，カルスト地形の誤り。なお，乾燥地形には砂漠があるが，砂漠には降雨時だけに水が流れるワジ（涸れ川）が見られる。

もう1点GET ＋α

その他の地形

カルスト地形	**石灰岩の溶食作用**で形成。農業には不適。ドリーネ，ウバーレ，鍾乳洞
氷河地形	氷食谷（U字谷），カール（圏谷），モレーン（堆石），ホルン
砂浜海岸	沿岸流による堆積作用。砂嘴，砂州，トンボロ（陸繋砂州），陸繋島，ラグーン（潟湖）＝**サロマ湖**

1問1答

氷河地形にはU字谷が見られ，沿岸流による堆積作用で砂州やトンボロは砂浜海岸に見られる。

○ 砂州やトンボロは砂浜海岸に見られる。

22 関数とグラフ

超約 ここだけ押さえよう！

ここだけ① 関数

2つの変数 x, y があり，x の値が1つ決まると，y の値がただ1つ決まるものを **y は x の関数である**という。

y が x の関数であることを表すのに，関数記号 f や g を用いて，**$y=f(x)$** や **$y=g(x)$** で表す。

ここだけ② 関数の平行移動

x 軸方向に p，y 軸方向に q 平行移動すると，$y=f(x) \to y=f(x-p)+q$ のように式を変形する。

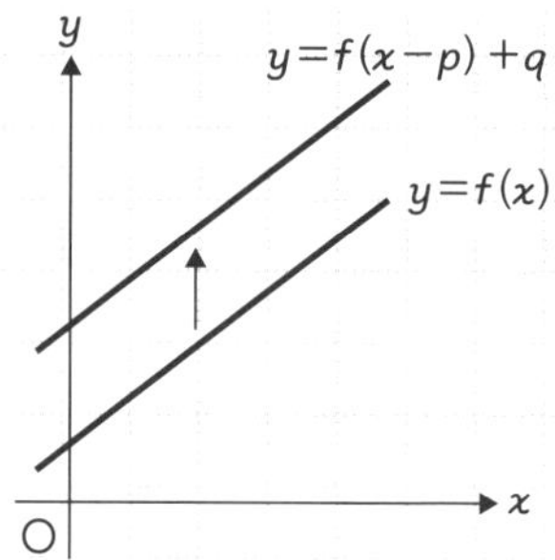

ここだけ③ 一次関数

$y=ax+b$ で表すことのできるグラフを，一次関数という。

a は**傾き（変化の割合）**を表し，b は**切片（y 座標との交点）**を表す。

ここだけ④ 二次関数

$y=ax^2+bx+c$ で表すことのできるグラフを**二次関数**という。

$a>0$ のとき，グラフは**下に凸の形**になる（上に開いている）。

$a<0$ のとき，グラフは**上に凸の形**になる（下に開いている）。

(1)頂点

$y=ax^2+bx+c$ の頂点は，$\left(-\dfrac{b}{2a},\ -\dfrac{b^2-4ac}{4a}\right)$ となる。

(2)グラフの最小・最大

二次関数のグラフで，x の変域が設定されていないときは，次のようになる。

	最大値	最小値
$a>0$	なし	$-\dfrac{b^2-4ac}{4a}$
$a<0$	$-\dfrac{b^2-4ac}{4a}$	なし

グラフの最小値と最大値は次の工程で求めることができる。

❶ 範囲を設定する。
❷ グラフを描く。
❸ 最小値と最大値を，場合分けによって求める。

グラフの最大値と最小値を求める問題は頻出だよ

ここだけ⑤ 2つの関数の位置関係

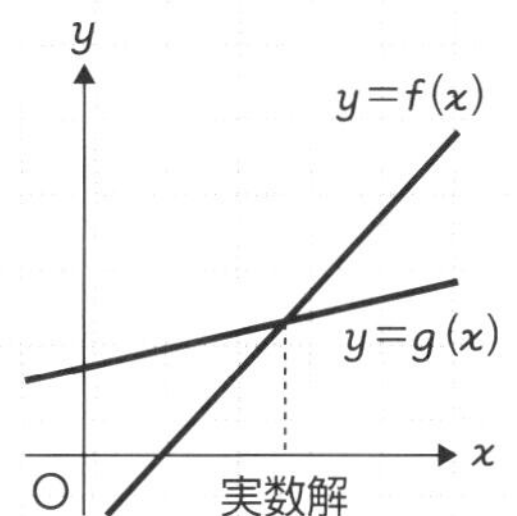

❶方程式 $f(x)=g(x)$ の実数解は，
$y=f(x)$ と $y=g(x)$ のグラフの共有点の x 座標となる。

❷不等式 $f(x)>g(x)$ の解は，
$y=f(x)$ のグラフが $y=g(x)$ のグラフの上側にある x の範囲となる。

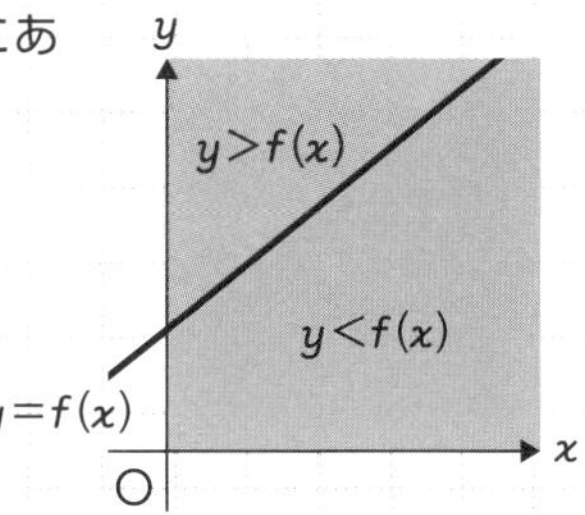

不等式の＞(だいなり)は，グラフの上側
不等式の＜(しょうなり)はグラフの下側
となる。

厳選問題

一次関数 $y=2x-2a$ と $y=x+a$ が $3 \leqq x \leqq 6$ の範囲で交点を持つような定数 a の値の最大値と最小値の差はどれか。

【市役所】

1　1

2　2

3　3

4　4

5　5

正答 1

STEP 1

一次関数 $y=2x-2a$ と $y=x+a$ の交点の x 座標は，y を消去して，

$2x-2a=x+a$

$x=3a$

STEP 2

$3\leqq 3a\leqq 6$ を満たすような a の値であれば、$3\leqq 3x\leqq 6$の範囲で必ず交点を持つ。

したがって，a の範囲は，

$1\leqq a\leqq 2$

以上より，定数 a の値の最大値と最小値の差は 1 である。

なお、a の値を 1 から 2 まで0.2ずつ変化させたときの一次関数のグラフと交点は下図のようになる。

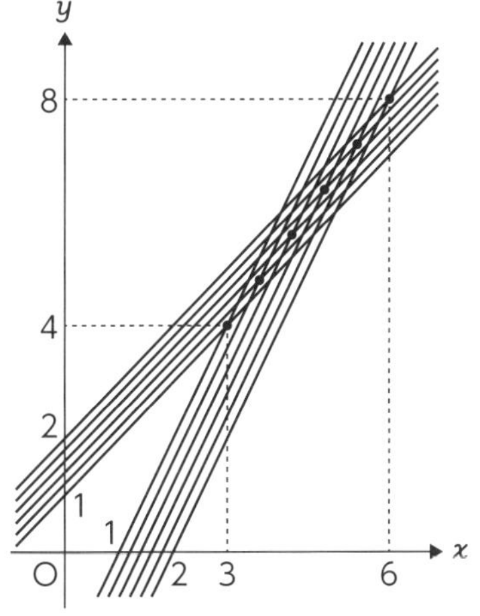

もう1点GET +α

未知数が含まれる式

未知数（上の問題でいう a ）がグラフの式に含まれている場合は，特に図示したほうがわかりやすい。

一方で未知数がない場合は，図示せずに解くことで大きな時短となる。

23 方程式と不等式

ここだけ押さえよう！

係数
係数とはxについている数のことだよ。

ここだけ① 二次不等式

$ax>b$ の解は，

$a>0$のとき，　$x>\frac{b}{a}$　$a<0$のとき，$x<\frac{b}{a}$

⇒x の係数が正のときは，不等号の向きはそのままで，
　x の係数が負のときは，不等号の向きを反対にする。

ここだけ② 二次方程式

(1)解の公式

$ax^2+bx+c=0$の解は，$x=\frac{-b\pm\sqrt{b^2-4ac}}{2a}$　で求めることができる。

(2)解と係数の関係

$ax^2+bx+c=0$の２つの解をα，βとすると，次の関係がある。

$\alpha+\beta=-\frac{b}{a}$，$\alpha\beta=\frac{c}{a}$

(3)判別式

$ax^2+bx+c=0$の解の個数は，次のようになる。

$b^2-4ac>0$なら，異なる２つの実数解

$b^2-4ac=0$なら，重解（解が実数１つ）

$b^2-4ac<0$なら，異なる２つの虚数解

(4)グラフへの応用

(3)の判別式はグラフにも応用でき，次のように，x 軸との接点の個数を判別できる。

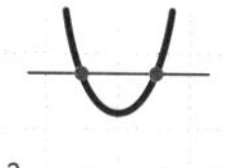

$b^2-4ac>0$　　　$b^2-4ac=0$　　　$b^2-4ac<0$

③ 絶対値付き不等式

絶対値が付いている不等式では，場合を分けて検討する。
$|x|>a$ ならば$x<-a$，$x>a$
$|x|<a$ ならば$-a<x<a$ と場合分けをする。

絶対値
"0からの距離"のことだよ。

例題　不等式$2x^2-|x|-3\leqq 0$を満たす x の範囲を求めよ。

$x\geqq 0$のとき，$|x|=x$
不等式は，$2x^2-x-3\leqq 0 \Rightarrow (x+1)(2x-3)\leqq 0$

よって，$-1\leqq x\leqq \frac{3}{2}$

しかし，**$x\geqq 0$を考慮して，　$0\leqq x\leqq \frac{3}{2}$**

$x<0$のとき，$|x|=-x$
不等式は，$2x^2+x-3\leqq 0 \Rightarrow (2x+3)(x-1)\leqq 0$

よって，$-\frac{3}{2}\leqq x\leqq 1$

しかし，**$x<0$を考慮して，　$-\frac{3}{2}\leqq x<0$**

以上より，x の範囲は$-\frac{3}{2}\leqq x\leqq \frac{3}{2}$となる。

A.$-\frac{3}{2}\leqq x\leqq \frac{3}{2}$

厳選問題

a，b ともに実数とする。以下の連立不等式において，解が $1<x<2$ となるとき，$a+b$ の値として妥当なものはどれか。

$$\begin{cases} x^2-a<0 \\ x-b>0 \end{cases}$$

【市役所】

1　4

2　5

3　6

4　7

5　8

解説

正答 2

STEP 1

$x^2-a<0$　…(1)

$x-b>0$　…(2)　とする。

STEP 2

式（1）において，$a\leqq 0$ のとき，これを満たす実数 x は存在せず，さらには題意の $1<x<2$ を満たさない。よって，$a>0$

不等式を解くと，$-\sqrt{a}<x<\sqrt{a}$　…①

式（2）より $x>b$　…②

STEP3

b の位置関係について考える。

①，② を数直線で表すと,題意の $1<x<2$ を満たすためには

$-\sqrt{a}$ と $\sqrt{a}$ の間に位置する必要がある。

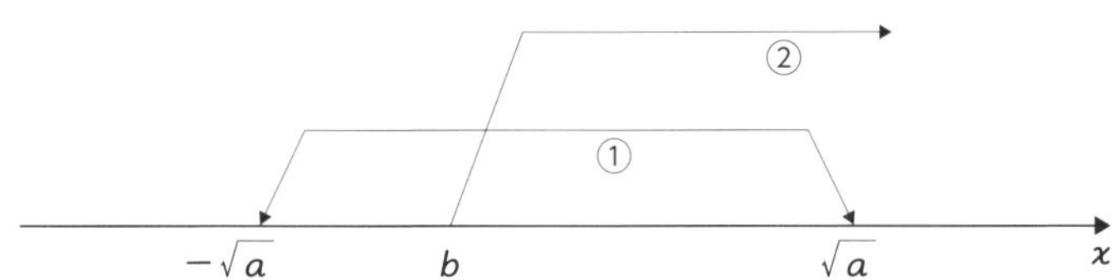

$b\leqq -\sqrt{a}$ あるいは，$b\geqq\sqrt{a}$ であった場合は，題意の $1<x<2$ を満たさない。
よって，数直線において連立不等式（1），(2) の範囲は $b<x<\sqrt{a}$ である。
$1<x<2$ となるための a，b それぞれの値は，$(a,\ b)=(4,\ 1)$
$a+b$ の値を求めるので，$a+b=5$

もう1点GET +α

不等式の問題

不等式の問題は，図示するのが基本。もし図示するのが難しく，条件等が難解である場合は，**実際に数字を代入して考えてみる**ことも大事である。

24 波動

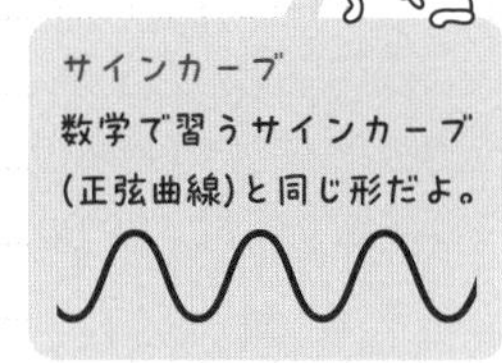

ここだけ① 波動

振動が次々に隣り合う部分に伝わる現象を波(波動)という。

波の基本的な形は**サインカーブ**となる。振動を伝える物質を**媒質**と呼び，このグラフの山の部分の高さ，もしくは谷の部分の深さを**振幅**という。

①**波長**→サインカーブの山から山，もしくは谷から谷までの距離 λ（ラムダ）を波長という。

②**振動数**→1秒間に生じる波の個数 fのこと。単位は〔Hz〕（ヘルツ）を使う。

③**周期**→波形が，1波長進むのに要する時間 T のことをいう。

ここだけ② 波の基本式

ここだけ①から ①$f=\frac{1}{T}$，②$v=f\times\lambda$という2式が成り立つ。

(v:波の速さ〔m/s〕，λ:波長，f:振動数，T:周期)

ここだけ③ 波の性質

❶**反射**→異なる媒質間で，波が跳ね返される現象。

このとき，入射角＝反射角となる。

❷**屈折**→異なる媒質間の境界面で折れ曲がる現象。

水に入れたコインが浮かび上がって見えることなどは屈折。

❸**干渉**→２つの波が重なり合って，強め合ったり弱め合ったりする現象。

❹**回折**→波が障害物の後ろに回り込んで伝わる現象。波長の長い赤外線などは回折が大きく，波長の短い紫外線などは回折が小さい。

たとえば，赤外線ストーブは障害物が多少あっても，回折により暖かさが伝わる。しかし，紫外線(日焼けの原因)は，回折が小さいので，日傘などである程度カットできる。

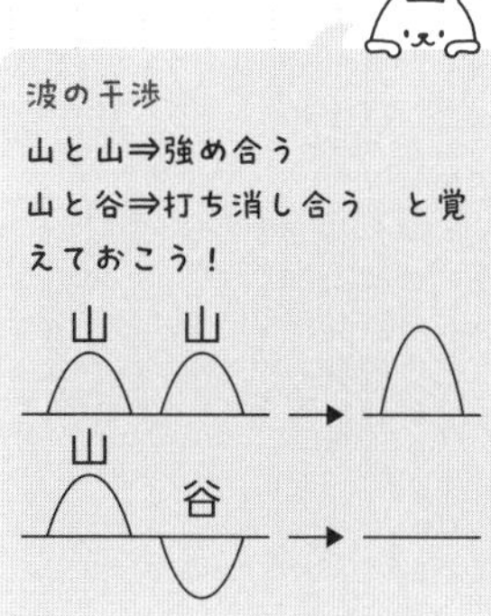

④ 音

❶**音波**

音は，空気中を伝わる縦波の一種。

固体，液体，気体を伝わるが，**真空中は伝わらない**。

❷**音速**

気温 t〔℃〕での，音速 V〔m/s〕は

$V=331.5+0.6t$ となる。

音速
暑ければ暑いほど
速く伝わるよ。

ここだけ

⑤ ドップラー効果

動く音源から出された音や，観測者が動きながら聞いている音の振動数が，静止している状態と比べて変化する現象。

音源が出す振動数を f_0〔Hz〕，観測する振動数を f〔Hz〕，音源の速度を v_S，観測者の速度を v_O，音速を V とすると

$$f=\frac{V\pm v_O}{V\pm v_S}\times f_0$$　となる。

観測者が近づくときは分母が $V-v_S$，観測者が離れるときは分子は $V-v_O$ となる。そのため，救急車のサイレンは，近づくときは**高く聞こえ(振動数が多い)**，離れるときは**低く聞こえる(振動数が少ない)**。

厳選問題

電車が振動数 864Hzの警笛を鳴らしながら，20m/sの速さで観測者に近づいてくる。観測者が静止しているとき，観測される音の振動数はどれか。ただし，音速を340m/sとする。 【特別区】

1 768Hz

2 816Hz

3 890Hz

4 918Hz

5 972Hz

解説

正答 4

STEP 1

一直線上を音源 S，観測者 Oが,それぞれ速度 V_S，V_Oで運動しているとする。このとき，音速を Vとし，音源 Sから出ている音波の振動数を fとすると，観測者Oに届く音波の振動数 f'は,

$$f'=\frac{V-V_O}{V-V_S}f$$

となる。

STEP 2

V_S，V_O の符号は，SからOに向かう向きを正，Oから Sに向かう向きを負とする。

本問の場合は，$f=864$〔Hz〕，$Vs=20$〔m/s〕，$V_O=0$〔m/s〕，$V=340$〔m/s〕であるから，これらを上式に代入して，観測者が観測する音波の振動数 f' は，

$$f'=\frac{340-0}{340-20}\times864=\frac{340}{320}\times864=918 \text{〔Hz〕}$$

となる。

もう1点GET +α

ドップラー効果の一般式

V_S，V_Oのどちらが分子にくるか迷いやすいので，O (Observer 観測者)→over（上，分子）のように覚えるとよい。

25 物体の運動

ランク A

超約 ここだけ押さえよう！

ここだけ① 速度と加速度

（1）速さ

物体が単位時間に移動する距離のこと。移動距離を x〔m〕，速さを v〔m/s〕，時間を t〔s〕とすると，　$v=\frac{x}{t}$＝一定となる。

（2）加速度

一定時間にどれだけの速度の変化があったかの値のこと。

加速度が＋（プラス）⇒スピードアップ，**加速度が－（マイナス）⇒スピードダウン**したということ。

t〔s〕の間に，速度が v_1（m/s）から v_2〔m/s〕に変化したとすると

加速度＝$\frac{v_2-v_1}{t}$〔m/s^2〕となる。（単位の s^2は，秒で割っているため）

ここだけ② 等加速度直線運動

物体が一定の加速度で直線上を進む運動のことをいう。

初速度 v_0〔m/s〕，加速度a〔m/s^2〕，時間 t〔s〕とすると次のように表せる。

❶t 秒後の速度：$v=v_0+a\times t$

❷進んだ距離 x：$x=v_0\times t+\frac{1}{2}\times a\times t^2$

❸$v^2-v_0{}^2=2ax$

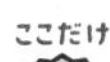

③ 自由落下運動

物体をある高さから，初速度0で落下させるとき，重力加速度 g により，下向きに加速度がつく。その結果，等加速度直線運動となる。自由落下運動では，②の❶，❷，❸式に

初速度＝0，加速度 $a=g$（重力加速度），$x=y$（下向きの運動なので）

を代入する。そうすることで

❶$v=g\times t$，❷$y=\frac{1}{2}gt^2$，❸$v^2=2gy$　の3式が得られる。

④ 鉛直投げ上げ運動

物体を上向きに投げる運動のことをいう。徐々に速度が落ちていき，最高点では速度が0となり，その後方向を下向きに変えて速度を上げながら落ちていく。

⑤ 鉛直投げ下ろし運動

物体を下向きに投げる運動のことをいう。その際，加速度 $a=g$，$x=y$ を代入すると，

❶$v=v_0+gt$，❷$y=v_0\times t+\frac{1}{2}gt^2$，❸$v^2-v_0^2=2gy$　の３式が得られる。

⑥ 水平投射

⇒ある物体を水平に投げ落とす運動のことをいう。この場合，水平方向は**等速直線運動**となり，鉛直方向は**自由落下運動**となる。

❶水平方向の速さは $v_x=v_0$ より，$x=v_0\times t$ となり，

❷鉛直方向の速さは $v_y=g\times t$ となり，$y=\frac{1}{2}gt^2$ となる。

厳選問題

ビルの屋上から物体Aを自由落下させ，その1.0秒後に鉛直下向きに物体Bを初速度14.7m/s で投げ下ろした。物体Bを投げ下ろしてから，物体Bが物体Aに追いつくまでの時間はどれか。ただし，重力加速度を9.8m/s^2とし，空気の抵抗は考えないものとする。

【特別区】

1　0.5秒

2　1.0秒

3　1.5秒

4　2.0秒

5　2.5秒

解説

正答 2

STEP 1

物体Bが物体Aに追いつくのだから，２物体の移動（落下）距離は等しい。
そこで求めるべき時間を t〔s〕とすると，物体Aは物体Bよりも1.0秒だけ先に自由落下しているので，物体Aの移動(落下)時間は $t+1.0$〔s〕である。

STEP 2

初速度 v_0〔m/s〕，時間 t〔s〕，重力加速度 g〔m/s^2〕，距離 y〔m〕とすると，自由落下運動は $y=\frac{1}{2}gt^2$，投げ下ろし運動 $y=v_0t+\frac{1}{2}gt^2$より，自由落下する物体Aの移動(落下) 距離は$\frac{1}{2}\times 9.8$〔m/s^2〕$\times\{(t+1.0)^2(s)\}^2$である。

STEP 3

14.7〔m/s〕の初速度で投げ下ろした物体Bの移動(落下) 距離は

$14.7\times t+\frac{1}{2}\times 9.8$〔$m/s^2$〕$\times(f$〔s〕$)^2$である。

これらが等しいから，

$4.9(t+1.0)^2=14.7t+4.9t^2$

$4.9(t^2+2t+1)=14.7t+4.9t^2$

$4.9t^2+9.8t+4.9=14.7t+4.9t^2$

$4.9=4.9t$

$t=1.0$

もう1点GET +α

斜方投射

物体を斜め上に投げ上げる運動を斜方投射という。この場合，水平方向では**等速直線運動**となり，鉛直方向では**鉛直投げ上げ運動**となる。

26 無機化学

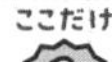

典型元素とその性質

アルカリ金属
Hを含まないので注意！

アルカリ金属	周期表の1族に位置する。Li,Na,K,Rb,Cs,Frの6種類の元素。価電子数は1で，それを放出して1価の陽イオンになりやすい	❶単体は銀白色で密度が小さく柔らかい ❷常温の水と容易に反応するため，石油中に保存する ❸炎色反応を示す。Li→赤，Na→黄，K→紫，Rb→赤など
アルカリ土類金属	周期表の2族に位置する。Be,Mgを除くCa,Sr,Ba,Raの4種類の元素。過電子数は2で，それを放出して2価の陽イオンになりやすい	❶単体は銀白色で，熱電気の伝導性が高い ❷空気中で酸素皮膜を作る ❸常温の水と反応して水酸化物を作る ❹炎色反応を示す。Ca→橙，Sr→赤，Ba→緑
希ガス（貴ガス）	周期表の18族に位置する。He,Ne,Ar,Kr,Xe,Rnの6種類の元素。価電子数は0で，非常に安定した元素で，他の元素と化合物を作らず単原子分子として存在する	❶いずれも無色無臭である ❷放電管に詰め込み電圧をかけると，特有の色を発する
ハロゲン	周期表の17族に位置する。F,Cl,Br,I,Atの5種類の元素のこと。価電子を7個持っており，電子を1個受け取り1価の陰イオンになりやすい	❶**いずれも刺激臭があり，毒性が強い** ❷臭素Brは，常温で液体の元素である

ここだけ

② 覚えておくべき非金属元素・化合物

水素	宇宙全体で最も多く存在する元素。元素の中で最も軽い。単体は二原子分子H_2として存在している。**可燃性**があり，燃料電池として使用されている。 **亜鉛，鉄，マグネシウムなどに塩酸や硫酸を加える**と発生
塩素	刺激臭を持つ黄緑色の気体。水と激しく反応する。殺菌作用や消毒・漂白作用もあり，水道水の殺菌や，漂白剤などにも使われる。 **塩酸にさらし粉を加える**と発生
酸素	他の物を燃焼させる**助燃性**がある。無色無臭の気体であり，地球の大気の約22%を占める。 **過酸化水素水に二酸化マンガンを加える**と発生
二酸化炭素	無色無臭の気体。水に溶けた際に**弱酸性**を示す。石灰水に通すと，白く濁る。固体の状態はドライアイスと呼ばれ，固体から液体を介さずに気体になる(昇華)。地球温暖化の原因でもある。 石灰石に塩酸を加える，もしくは炭酸ナトリウムを加熱すると発生
アンモニア	無色で，刺激臭のある気体。水に溶けると**弱塩基性**を示す。 **ハーバー・ボッシュ法と呼ばれる工業的な方法で窒素に水素を化合**させると発生。体内では毒素として扱われ，肝臓などで尿素に変えられる。その反面，**窒素肥料や医薬品**にも使われることがあるので注意

時事問題にもよく出てくるよ！

＼知って得する！／

周期表の3族～12族の元素のことを**遷移元素**といい，以下のような特徴がある。

①融点が高く，密度が大きい

②周期表の縦ではなく，横で性質が似ている

③イオンや化合物には有色のものが多い

厳選問題

周期表と元素に関する記述として，妥当なのはどれか。

【特別区】

1 周期表の１族，２族および12族～18族の元素を遷移元素といい，遷移元素の同族元素は，性質が似ている。

2 周期表の13族に属するケイ素の単体は，金属のような光沢がある黒紫色の結晶で，高純度のケイ素は，半導体として太陽電池などに利用されている。

3 周期表の15族に属するリンの同素体のうち，赤リンは，空気中で自然発火するため，水中に保存する。

4 周期表の16族に属する酸素と硫黄の原子は，６個の価電子を持ち，二価の陽イオンになりやすい。

5 周期表の17族に属する元素であるハロゲンのうち，臭素の単体は，常温，常圧において液体である。

解説

正答 5

❶	×	周期表の1族，2族および12～18族の元素を典型元素といい，3～12族の元素を遷移元素という。また，遷移元素は典型元素と異なり，同族ではなく周期表の横同士の元素で性質が似ていることが多い。
❷	×	ケイ素は14族に属する。他の記述は正しい。
❸	×	赤リンはマッチでも使われていることからわかるように自然発火はしない。水中で保存するのは同素体である黄リンであり，空気中で自然発火し，毒性がある。
❹	×	16族に属する酸素や硫黄の原子は，二価の陰イオンになる。
❺	○	妥当である。常温常圧で液体の元素は臭素と水銀のみであることにも注意。

もう1点GET +α

周期表

周期表は，元素が原子番号（陽子の数）の順に並んでいるが，原子量は陽子と中性子の数で決まる。よって，原子番号と原子量はその順が逆転することがある（Ar と K，Co と Ni，Teと I など)。

1問1答

酸素はアンモニアの合成材料として用いられたり，燃料電池に利用されたりしている。宇宙で最も多く存在する割合が大きい元素であり，無色無臭の気体として存在する。地球上では化合物として大量に存在している。

正解 ✕ 水素に関する記述である。

ランク B

27 イオン化傾向と電池

超約 ここだけ押さえよう！

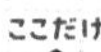

① イオン化傾向

イオン化傾向と電池は，公務員試験で頻出な分野。複雑だけど，周りと差をつけるためにも理解しておこう。

金属が電子を放出して陽イオンになろうとする大きさをイオン化傾向という。

イオン化傾向は，

Li>K>Ca>Na>Mg>Al>Mn>Zn>Fe>Co>Ni>Sn>Pb>(H)>Cu>Hg>Ag>Pt>Au

の順となっている。

イオン化傾向が低い＝イオン化しにくい＝酸化しにくい(さびにくい)ので，「金は価値が高い」と覚えよう。

	Li～Na	Mg	Al～Fe	Co～Au
水との反応	常温で反応	沸騰水と反応	高温水蒸気と反応	反応しない
酸との反応	希酸と反応してH_2を発生			酸化力のある酸に溶ける

＼知って得する！／

イオン化傾向は有名な語呂合わせで覚えてしまおう。

K>Ca>Na>Mg>Al>Zn>Fe>Ni>Sn>Pb>H>Cu>Hg>Pt>Au

かそうかな　ま　あ　あ　て　に　すんな　ひ　どすぎるしゃっきん

⇒貸そうかな，まああてにすんな，ひどすぎる借金

PtとAu

PtとAuは王水(濃塩酸3と濃硝酸1の濃合液体)にしか溶けないよ。

ここだけ

② 電池

❶ボルタ電池

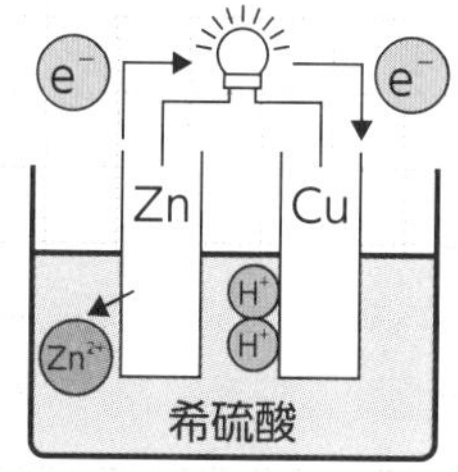

希硫酸に**亜鉛板Znと銅板Cu**を浸し，電極でつなげると電流が発生する。イオン化傾向がZn>H>Cuなので，Znが電子を放出してイオンとなり水溶液に溶け込む。その電子が電極を通じてCu板に流れ込み，電流が生じる。

電子が流れる方向と，電流が流れる方向は逆であることに注意。負極が亜鉛版，正極が銅板となる。

❷鉛蓄電池

希硫酸に，負極として鉛Pb，正極としてPbO_2を用いる電池。**充電可能な二次電池**である。

負極：$Pb + SO_4^{2-} \rightarrow PbSO_4 + 2e^-$

正極：$PbO_2 + 4H^+ + SO_4^{2-} + 2e^- \rightarrow PbSO_4 + 2H_2O$

それぞれの反応式は覚えておこう。

PbがPb²⁺になることで，Pb板が溶け出すよ。

厳選問題

次の文は電池に関する記述であるが，文中の空所A～Dに該当する語の組合せとして，妥当なのはどれか。

［ A ］電池は，亜鉛板を浸した硫酸亜鉛水溶液と 銅板を浸した硫酸銅(Ⅱ)水溶液を素焼き板で仕切り，両金属板を導線で結んだもので，亜鉛が銅よりもイオン化傾向が［ B ］ため，銅板が［ C ］となり，導線を通じて銅板から亜鉛板へ［ D ］が流れる。

【特別区】

	A	B	C	D
1	ダニエル	大きい	正極	電流
2	ダニエル	小さい	負極	電子
3	ボルタ	大きい	正極	電子
4	ボルタ	大きい	負極	電子
5	ボルタ	小さい	正極	電流

解説

正答 1

A ダニエル	亜鉛板(Zn)を浸した硫酸亜鉛水溶液($ZnSO_4$)と，銅板(Cu)を浸した硫酸銅(Ⅱ)水溶液($CuSO_4$)を素焼き板で仕切り，亜鉛板と銅板とを導線で結んだ装置をダニエル電池という。ボルタ電池は，希硫酸水溶液(H_2SO_4)に亜鉛板と銅板とを離して浸した装置である。
B 大きい	イオン化傾向はK＞Ca…Zn＞Fe…＞Cu＞Hgの順で大きい。
C 正極	化学電池では，イオン化傾向が相対的に大きな金属が負極に，小さな金属が正極になる。
D 電流	銅よりも亜鉛のほうがイオン化傾向が大きいため，亜鉛板が負極に，銅板が正極になる。このとき，負極である亜鉛板から正極である銅板に向かって電子が流れる。しかし，電流が流れる向きは，電子が流れる向きとは逆向きになるので，電流は銅板から導線を通じて亜鉛板に流れると考えられる。

1問1答

次のうち，反応が起こる組合せはどちらか。

①ZnとCu^{2+}　②CuとZn^{2+}

正解 ① 亜鉛(Zn)と銅(Cu)では，亜鉛のほうがイオン化傾向が高いので反応する。

28 恒常性

生物が外部環境の影響を受けても，体内の状態や機能(内部環境)を一定に保とうとする仕組みを恒常性(ホメオスタシス)という。

ここだけ① 自律神経系

大脳の支配を受けていない，意志とは無関係な内臓などの動きは，**自律神経**により調整されていて，**間脳視床下部**がコントロールしている。

自律神経系には，**交感神経**と**副交感神経**があり，それぞれは拮抗的に働く。交感神経は興奮状態，副交感神経は安息状態で優先的に働く。

交感神経　副交感神経
こんなイメージだよ。

交感神経　副交感神経

	心拍	呼吸	血圧	消化	排泄	瞳孔	血管
交感神経	促進	促進	上昇	抑制	抑制	拡大	収縮
副交感神経	抑制	抑制	低下	促進	促進	縮小	拡張

また，交感神経が優先的に働くときは，神経接合部に**ノルアドレナリン**，副交感神経が優先的に働くときは神経接合部に**アセチルコリン**が分泌される。

アセチルコリン
「汗散る子、服を交換する」で
アセチルコリン→副交感神経
と覚えよう。

ここだけ② ホルモン系

ホルモンは，**間脳視床下部**の命令によりさまざまな内分泌腺から血液中に放出され，特定の器官の働きを調節する物質である。

公務員試験では,「**どの内分泌腺から**」「**何というホルモンが出て**」「**どのような役割を果たすか**」を理解していることが重要になる。

また,この中で血糖値を上昇させるのは「アドレナリン,糖質コルチコイド,グルカゴン」,減少させるのは「インスリン」である。

さらに,チロキシンが過剰に分泌されると**バセドウ病**,欠乏すると**クレチン病**,インスリンが欠乏すると**糖尿病**を引き起こす。

内分泌腺	ホルモン名	作用
脳下垂体前葉	成長ホルモン	成長を促進
副腎髄質	アドレナリン	グリコーゲンの糖化促進
甲状腺	チロキシン	代謝の促進
副腎皮質	糖質コルチコイド	糖質代謝促進
脳下垂体後葉	バソプレシン	抗利尿作用
副甲状腺	パラトルモン	Ca量の調整
B細胞	インスリン	グリコーゲンの合成促進
A細胞	グルカゴン	グリコーゲンの分解

＼知って得する！／

「内分泌線」と「ホルモン名」は語呂合わせで覚えよう。

前 成 髄 アドレナリン 甲 チ 皮 糖 後 バソ 副甲 パラ B イン グル
前 せがずいぶん 侮れん コーチの頭皮 後ろの場所が不幸にも ぱらっと
ビーンと ハゲアグル

厳選問題

自律神経系の働きに関する次の文章の空欄ア～オに当てはまる語句の組合せとして，妥当なのはどれか。 【東京都】

自律神経系は，交感神経と［ア］とからなり，多くの場合，両者が同一の器官に分布し，相互に対抗的に作用することにより，その器官の働きを調整している。交感神経が興奮すると，その末端からは［イ］が，［ア］が興奮すると，その末端からは［ウ］が分泌され，各器官に働く。たとえば，交感神経が興奮すると，心臓の拍動が［エ］し，気管支は［オ］し，膀胱（ぼうこう）においては排尿を抑制する。

	ア	イ	ウ	エ	オ
1	感覚神経	アセチルコリン	ノルアドレナリン	促進	拡張
2	感覚神経	ノルアドレナリン	アセチルコリン	抑制	収縮
3	副交感神経	アセチルコリン	ノルアドレナリン	抑制	収縮
4	副交感神経	ノルアドレナリン	アセチルコリン	促進	拡張
5	副交感神経	ノルアドレナリン	アセチルコリン	抑制	収縮

解説

正答 4

ア	**副交感神経**	自律神経系には交感神経と副交感神経がある。感覚神経とは，感覚器官から出される信号を脳や脊髄に伝える神経である。
イ	**ノルアドレナリン**	交感神経が優先的に働くとノルアドレナリンが分泌される。
ウ	**アセチルコリン**	アセチルコリンは副交感神経と運動神経で分泌される神経伝達物質である。
エ	**促進**	副交感神経の働きでは，心臓の拍動は抑制される。
オ	**拡張**	副交感神経優位の状態では気管支は収縮する。このほか，交感神経の働きでは，瞳孔は拡大し，立毛筋は収縮する（鳥肌が立つ）。

1問1答

インスリンは，すい臓のB細胞から分泌されるホルモンであり，グルコースの細胞内への取り込みやグリコーゲンの合成を促進させる。

正解 ○ 正しい。インスリンはホルモンの中で唯一，血糖値を下げる（グリコーゲンの合成を促進させる）。

29 細胞

ここだけ押さえよう！

動物細胞と植物細胞に共通している細胞小器官，それぞれにのみ存在する細胞小器官と役割をしっかりと覚えておこう。

ここだけ 1

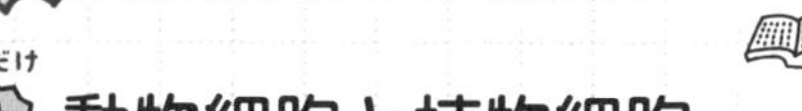

動物細胞と植物細胞に共通する細胞小器官

核	通常１つの細胞に１つ存在し，二重の核膜によって守られている。内部には，DNAを含む染色体と，核小体が存在する
ミトコンドリア	好気呼吸の場であり，ATPを生成する
リボソーム	タンパク質合成の場（工場）
小胞体	リボソームで合成されたタンパク質輸送を行う場（通路）
ゴルジ体	物質の貯蔵，分泌を行う（倉庫）
細胞膜	二重の層になっており，選択的透過性を持つ。リン脂質とタンパク質からなる。

染色体
人間の染色体は46本（23対）で、そのうちの2本は性染色体と呼ばれ、性別の決定に役立っているよ。

選択的透過性
限られた大きさの分子のみを通す性質のことをいうよ。

リボソーム
小胞体
ゴルジ体
3つセットで覚えよう！

ここだけ
② 植物細胞にのみ存在する細胞小器官

細胞壁	細胞を丈夫にする役割を持つ。**セルロース**やペクチンからなる。全透性である
液胞	不要物の貯蔵，浸透圧の調整を行う。**アントシアン**という色素を含む
葉緑体	光合成の場となる。**クロロフィル**という色素を含む

これらは，植物細胞の特徴を理解すると覚えやすい。
植物細胞は骨格などがないので，細胞一つ一つが頑丈⇒**細胞壁を持つ**
植物は排泄などが自由にできないので内部に貯めておく⇒**液胞の働き**
植物は光合成をしている⇒**葉緑体の働き**

ここだけ
③ 動物細胞と一部植物細胞にのみ存在する細胞小器官

中心体	**細胞分裂時**に紡錘体形成の中心となり，**星状体**になる

真核生物の細胞に関する次の記述のうち，妥当なものはどれか。

【地方上級】

1 細胞膜は細胞を内外に分ける膜である。水，無機イオン，糖はいずれも細胞膜を通過するため，細胞内の無機イオン，糖の濃度は一定に保たれる。

2 細胞には核などの構造体が含まれ，その間を細胞質基質が満たしている。細胞質基質には，染色体が分散して存在している。

3 ミトコンドリアは植物細胞にも動物細胞にもある。ミトコンドリアには，酸素を使って有機物を分解し，有機物からエネルギーを取り出す働きがある。

4 葉緑体は光合成の場である。光合成は光エネルギーを用いて，水と二酸化炭素からタンパク質を合成する働きである。

5 液胞は膜で覆われ，その中に成長に必要な物質が包まれている。若い植物では大きく発達しているが，成熟した植物細胞では見られないこともある。

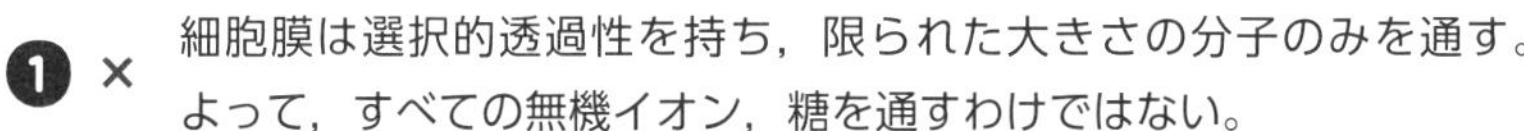

❶ × 細胞膜は選択的透過性を持ち，限られた大きさの分子のみを通す。よって，すべての無機イオン，糖を通すわけではない。

❷ × 染色体は，真核細胞では核の内部に存在し，細胞質基質に分散してはいない。

❸ ○ ミトコンドリアは酸素を使って有機物を分解し，エネルギーを取り出す好気呼吸を行う。

❹ × 光合成で合成されるのはタンパク質ではなく糖やデンプンである。

❺ × 液胞は不要物の貯蔵，浸透圧の調整を行い，主に成熟した植物細胞で大きく発達する。そのため，液胞が成長に必要な物質を貯蔵するために特化した器官とはいえない。

1問1答

ゴルジ体は植物細胞のみに存在し，小胞体で合成されたタンパク質などの加工，濃縮，分泌を行っている。

正解 × ゴルジ体は動植物どちらの細胞にも見られ，物質（主にタンパク質）の貯蔵や分泌の働きをする。

30 天体

ランク A

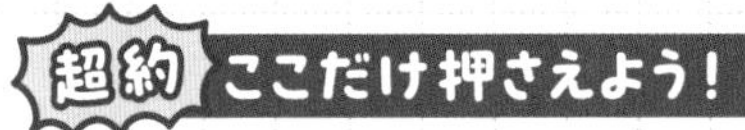

超約 ここだけ押さえよう!

ここだけ ① 太陽

核融合反応	太陽では**水素原子４個から，１個のヘリウム原子**に核融合するときに減少した質量がエネルギーとなり，熱と光に変換される。太陽の組成は水素77%，ヘリウム21%である
光球	太陽の**輝いている本体の部分**で，表面温度はおよそ5,800K（約6,000℃）
黒点	光球面に見える黒い斑点で，光球より1,500～2,000K温度が低い。**11年周期で増減しており，黒点が多い時期は太陽の活動が活発になる** 黒点がない場所にエネルギーが凝縮されているイメージ!
彩層	光球の外側にある希薄な大気の層
プロミネンス	光球面から吹き出す炎。柱状のガス雲
コロナ	光球の外側の彩層のさらに外側に広がる真珠色の大気。温度は100万℃以上
フレア	太陽表面の一部が激しく爆発し，莫大なエネルギーを放出する現象。フレアで発生したＸ線は，地球の電離層を乱し，通信障害などを引き起こす**デリンジャー現象**や，大規模な停電を引き起こす**磁気嵐**を発生させる

② 惑星

水星	太陽に一番近く，太陽風の影響で**大気が存在しない**。そのため，昼夜での温度差が一番大きく，昼は約400℃，夜は約－100～－200℃となる
金星	自転方向が他の惑星と**逆向きに**回転している。大気は二酸化炭素で覆われており，温室効果により，水星より太陽から離れているにもかかわらず，昼の**温度は470℃となり，惑星の中で最大**。自転速度を超える風（スーパーローテーション）が吹いている
火星	大気は二酸化炭素で覆われている。軸が地球と同様に傾いており，四季が存在する。現在火星では水が発見されているが，**微生物はいまだに発見されていない**
木星	**太陽系最大の惑星**。水素（90%）とヘリウム（10%）でできているガス惑星である。その体積と重量から，衛星を60個以上持つ
土星	**太陽系惑星の中で一番密度が小さく**，水の密度よりも小さい。大気は水素とヘリウムからなる。また，惑星の外側には氷や岩石からできた**環がある**。衛星を50個以上持つ
天王星	太陽系の中で**唯一軸が横倒しになっており**，昼と夜の間隔が42年もある。大気がメタンで覆われており，青色の惑星である
海王星	天王星同様，大気がメタンで覆われており，青色の惑星。地球から離れすぎているので，肉眼では確認できず，望遠鏡を用いて初めて観察できる

水星を訪れた探査機のマリナー10号は覚えておこう！

厳選問題

太陽系の惑星に関する記述として，妥当でないのはどれか。

【特別区】

1 水星は，太陽系最小の惑星で，表面は多くのクレーターに覆われ，大気の成分であるメタンにより青く見え，自転周期が短い。

2 金星は，地球とほぼ同じ大きさで，二酸化炭素を主成分とする厚い大気に覆われ，表面の大気圧は約90気圧と高く，自転の向きが他の惑星と逆である。

3 火星は，直径が地球の半分くらいで，表面は鉄が酸化して赤く見え，二酸化炭素を主成分とする薄い大気があり，季節変化がある。

4 木星は，太陽系最大の惑星で，表面には大気の縞しま模様や大赤斑と呼ばれる巨大な渦が見られ，イオやエウロパなどの衛星がある。

5 天王星は，土星に比べて大気が少なく，氷成分が多いため，巨大氷惑星と呼ばれ，自転軸がほぼ横倒しになっている。

解説

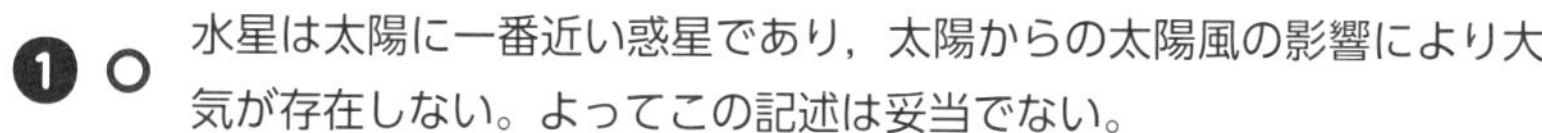

❶ ○ 水星は太陽に一番近い惑星であり，太陽からの太陽風の影響により大気が存在しない。よってこの記述は妥当でない。

❷ × 妥当である。金星は二酸化炭素の大気に覆われているため，その温室効果で惑星最高である470℃にまで達することもある。

❸ × 妥当である。惑星の中で季節変化があるものは地球と火星のみである。

❹ × 妥当である。木星は直径が地球の約11倍で，体積が約1,300倍の太陽系最大の惑星である。

❺ × 妥当である。天王星の内部は岩石と氷でできた核や，水やメタン，アンモニアが含まれる氷でできたマントルで構成されると推測されている。

12章 地学

30 天体

木星は太陽系の中で密度が最も小さく，表面には赤道に平行な数本のしま模様が見られる。大気の主成分は二酸化炭素である。

正解 × 太陽系の中で密度が最も小さいのは土星である。また，木星の大気の主成分は水素やヘリウムなどの分子量の小さい気体である。

31 気象

超約 ここだけ押さえよう！

ここだけ① 低気圧と前線

寒冷前線	冷たくて重い寒気が，暖かくて軽い暖気の下に潜り込む前線。**暖気が押し上げられることで，激しい上昇気流が生じ，積乱雲が生まれる**。また，寒冷前線が通過後，気温は低下する
温暖前線	暖かくて軽い暖気が，冷たくて重い寒気の上に這い上がってできる前線。**上昇気流は発生するが，激しくはなく，乱層雲などの層状の雲が生まれる**。また，温暖前線が通過後，気温はゆるやかに上がる
閉塞前線	寒冷前線が温暖前線より進行速度が速く，追いついたときにできる前線
停滞前線	梅雨や秋の時期に，寒気と暖気の勢力がつりあい，同じ場所に長時間停滞する前線

閉塞前線は，どちらがどちらに追いつくか間違えないように！

台風	緯度5°～20°付近の暖かい海水温で発生する低気圧の中で，風速17.2m/s以上のものを台風という。**寒気が存在しないので，前線がなく円形の等圧線を持つ**。 また，台風の進行方向の右半分は**危険半円**，左半分は**可航半円**と呼ばれている

\知って得する！/

積乱雲と乱層雲

積乱雲は，激しい上昇気流を伴うので，**激しい雨が局所的に降るが，短時間で雨は止む。**乱層雲は，激しい上昇気流ではないが，**範囲が広いので，穏やかな雨が広範囲に長時間降る。**

ここだけ

② 日本の四季

冬	大陸で**シベリア気団**が発達し，東に低気圧が居座る（西高東低の気圧配置）。シベリア気団から，北西の季節風が吹き，**日本海側は大雪，太平洋側は乾燥した大気**となる
春	シベリア気団が衰え，大陸南部の上空に**揚子江気団**が発達する。その揚子江気団から分離した高気圧が偏西風やジェット気流に乗り，かわるがわる日本の上空を通過する。高気圧と低気圧が交互に押し寄せることになるので，**周期的に天気が変化する**
梅雨	日本の北東に寒冷な**オホーツク海気団**，南東に温暖な**小笠原気団**が発達し，勢力が均衡する。その間に**梅雨前線（停滞前線）**が発生し，長期間天気が悪化する。梅雨前線は南北に動くが，最終的に北上し，梅雨が明ける
夏	梅雨の時期に発達した小笠原気団が日本を覆い，北部に低気圧が発達する（南高北低の気圧配置）。小笠原気団から，南東の季節風が吹き，**太平洋側は大雨**，**日本海側は乾燥した熱風が吹く**（**フェーン現象**）
秋	小笠原気団が衰えはじめ，大陸に寒冷高気圧ができ，梅雨の時期と同様停滞前線である**秋雨前線**ができる。そのため，長期間天気が悪化することになる。秋雨前線が南下し消滅すると，春と同様に移動性高気圧と低気圧が交互に日本にやってくるので，**周期的に天気が変わる**

日本付近の天気に関する次の記述のうち，妥当なのはどれか。

【市役所】

1 冬になるとシベリア低気圧が発達し，南西から北へ冷たい風が吹く。そのため日本海側に大雪が降る。

2 春になるとオホーツク海高気圧が日本を覆うため，晴れて乾燥した日が数週間も続くことがある。

3 ６～７月には温暖前線と寒冷前線が交互に現れ，それらが梅雨前線となる。雨の多い日が続くが，梅雨前線が南下することによって梅雨が明けて夏になる。

4 夏には北太平洋高気圧が日本付近に張り出し，南高北低型の気圧配置になる。太平洋高気圧は気温も湿度も高いため蒸し暑い気候となる。

5 夏から秋にかけて，熱帯地方で発生した大型の台風が日本を縦断する。台風は前線を伴っており，中心からは外側に向かって風や雨が吹き出ている。

解説

正答 4

❶ × 冬には大陸でシベリア高気圧が発達し，日本付近では西高東低の気圧配置となり，低温で乾燥した北西の季節風が吹く。これが日本海を渡る間に日本海側に大雪をもたらす。

❷ × 春には上空の偏西風の影響が強くなり，大陸南部で生まれた移動性高気圧と温帯低気圧が交互に日本を東進する。周期的に天気が変化するので晴れて乾燥した日が数週間も続くことはない。

❸ × 6～7月には北にオホーツク海高気圧，南に北太平洋高気圧が発達し，その境で前線が停滞して梅雨前線となる。北太平洋高気圧によって梅雨前線が北上すると梅雨が明ける。

❹ ○ 北太平洋高気圧のうち，日本付近のものは小笠原高気圧と呼ばれる。

❺ × 台風は前線を伴ってはいない。台風の中心に向かって北半球では反時計回りに雨風が吹き込んでいる。

1問1答

梅雨の時期になると，東西に長く伸びた閉塞前線が日本付近に長期間とどまり，この閉塞前線に向かってモンスーンが吹き込む。これにより高温多湿で曇りや雨の日が続き，この時期の閉塞前線は梅雨前線と呼ばれる。

正解 ✕ 日本付近に長くとどまる梅雨前線は停滞前線の一種である。

32 現代文

ここだけ押さえよう！

ここだけ① 内容把握

一番オーソドックスな出題。選択肢が文章中に書かれている内容に一致しているかを一つ一つ丁寧に検討することが大切。パラグラフリーディングを意識し，段落ごとに選択肢と突き合わせながら正答を導き出す。

段落ごとに選択肢と突き合わせながら
たとえば，選択肢１は，第１段落に書かれている内容で判断することが多く，選択肢５は第４段落，第５段落など後ろの段落の内容で判断することが多いよ。

ここだけ② 要旨把握

問題文の主題（メインテーマ）を把握するというもの。筆者の言いたいこと（主張）が主題になることが多い。

筆者の言いたいこと（主張）
つまり，選択肢に書かれていることが正しくても，主題とズレていれば正答にならないよ。

例題

次の文の主旨として，最も妥当なのはどれか。【特別区】

ヨーロッパにおける時間の問題には，常にキリスト教的な意識が結びついているといえるわけですが，やはり私自身の考えでは，時間というものは，ある一種の終末的なもの，エスカトロジック＊なものだと思うのです。つまりわれわれは，時間というものを通じて，ある一つの目的に向かって近づいていくという考え方――これは私のものの考え方の根本にもあると思うのです。その目的が直接に宗教的なものであっても，あるいはそうでない，もっとヒューマンなものであっても，時間というものを通ってわれわれはある一つの目標に向かって進んでいるという考え――これはキリスト教の影響かもしれませんけれども，それを私はどうしても否定することができない。ハイデッガーみたいに，時間を存在の根本規定として，存在そのものにまで徹底的に入れてしまえば，まだ少しほかの考え方もできるかもしれませんが，私のばあい，人間は時間の中に生きている，人間を通って時間が展開する，という考え方はどうしても強いのです。時間というものは人間の存在そのものとまったく合一してしまうのでなくて，むしろ人間の存在そのものは時間の中に制約されて，変な言い方ですが，時間とはある程度区別されて存在しているのではないかという気がします。多少キリスト教的ですけれども，それがやはり時間の実相ではないかという気がします。

（森有正「生きることと考えること」による）

＊　エスカトロジー………終末論

1　ヨーロッパにおける時間の問題には，常にキリスト教的な意識が結びついている。

2　人間は，時間というものを通じて，ある一つの目的に向かって近づいていく。

3　ハイデッガーは，時間を存在の根本規定として，存在そのものにまで徹底的に入れてしまう。

4　時間というものは，人間の存在そのものとまったく合一してしまう。

5　人間の存在そのものは，時間の中に制約されて存在している。

2が正答。「つまりわれわれは，……これは私のものの考え方の根本にもあると思うのです」という部分が筆者の考えで言いたいこと。「つまり」「思う」というキーワードからも大切な一文であることがわかる。

1，**3**，**5**は書かれている内容としては正しいが，筆者の言いたいこと（主張）ではない。**4**はそもそも問題文で「まったく合一してしまうのでなくて」となっているので誤り。

ここだけ

③ 文章整序

キーワード，接続詞・指示語を駆使して論理の**ブロックを作る**ことになる。選択肢をうまく使うと正答に近づきやすくなる。

ブロックを作る
どこから着手してもいいんだけど，ブロックを見つけるのがポイント。だいたい2つブロックを見つけられれば正答にたどり着くように作られているよ。

例題

次の短文A～Gの配列順序として，最も妥当なのはどれか。【特別区】

A　教育者というのは，別に学校の教師に限らない。

B　そういう人のアイデンティティは，教育者ということになる。

C　会社員の中にも，教育者としてのアイデンティティを持っている人はいる。

D　街で子どもたちを集めてサッカースクールをやったり，剣道の教室をやったり，ピアノを教えたりという人は，たくさんいるだろう。

E　教育者というと少し堅苦しいが，要するに人を育てることに情熱をもって取り組んでいる人ということだ。

F　その中には小遣い稼ぎだと思ってやる人もいるかもしれないが，多くの人は，子どもたちに何か大切なことを伝えたい，という思いをもってやっている。

G　アイデンティティとは，「自分は，○○である」と張りをもって言えるときの「○○」のことだ。

（齋藤孝「教育力」による）

1　A－C－D－F－B－G－E
2　A－C－E－F－D－G－B
3　A－D－B－G－F－E－C
4　A－D－C－F－G－B－E
5　A－D－F－B－C－E－G

(1) まずDに人の**具体例が複数列挙**されているので，「**その中には**」小遣い稼ぎだと思っている人もいるかもしれないが……と続くことが予想できる。よって，D→Fというブロックができる。また，Fの後は「そういう人」のアイデンティティは……と続くのが自然なのでBがくる。したがって，❶**D→F→B**というブロックができる。

(2) 1でD→F→Bとつないでみると，Bで初めて「アイデンティティ」という言葉が出てくる。そこで，その後にくるのはアイデンティティの説明でなければならない。そうするとGが続く以外にはありえない。ここで，❷**B→G**というブロックができる。
→❶と❷を満たすのは**1**のみである。

ここだけ④ 空欄補充

2つないし3つの空欄に入る語句を選択するというもの。文章の内容を理解する必要はなく，空欄の前後の流れを把握することで，確定できることが多い。

厳選問題

次の文章で述べられていることとして，最も妥当なのはどれか。

【東京都】

すでに音色の項でふれたように，日本人の民族的美感は，音楽の上でしばしば鋭くヨーロッパ人のそれと対立する。日本の民族楽器は，笛の類でも太鼓の類でも，琴や三味線のような絃楽器でも，楽器の構造は一見きわめて単純である。一方もっとも一般的なヨーロッパの楽器であるピアノは，構造的には比較にならない複雑さをもっている。ところがその楽器から出される音色は，日本の楽器とは比較にならぬほど単純なものだ。音楽に限らず，日本人は古来，単純なものから複雑なものを引きだすことに熱中し，ヨーロッパの人たちは，複雑さのなかから単純なものを引きだすことに情熱を傾けたのである。

音楽の形成に根源的な役割を果すリズムにも，同様なことがいえる。ヨーロッパ音楽を支配する拍子が，機械的な周期的反復であるのに対して，日本の民族音楽にはそのようなリズムはほとんど存在しない。第一，邦楽でのリズムの概念に相当する「間」というものは，ヨーロッパ音楽にあってはまったく存在しない，いわば裏側の概念であり，東西の時間や空間に対する考え方の対立を，これほど象徴的に物語っているものはないといえよう。

ヨーロッパ音楽では，音の鳴りはじめた瞬間をリズムの基準とするのに対して，邦楽にあっては音と音との間，つまり休止をもって基準とし，そこに第一義的な時間的秩序を求めようとする。これは日本の民族楽器の多くが，琴，三味線，太鼓類のように，ただちに減衰する音をもっているところから生まれたものであるともいわれるが，美術，建築，そのほかの民族的様式と考えあわせると，より本質的，体質的な民族の美感に根ざしたものというべきであろう。

邦楽では「間」と，「拍子」の概念とが混りあった「間拍子」という用語も使われ，能では「平ノリ」「大ノリ」「中ノリ」という三種の基本リズム型がきびしく統制されており，声楽部と器楽部とが，まったく別のリズムをもっている場合がほとんどで，日本の民族音楽におけるリズムの複雑さは，とうていヨーロッパ音楽の及ぶところではない。

（芥川也寸志「音楽の基礎」による）

1 日本人とヨーロッパ人の民族的美感はしばしば対立するが，それは，ヨーロッパの人たちが単純なものを好まないからである。

2 日本の民族楽器は，一般的なヨーロッパの楽器と比較して，構造的には単純だが，音色は複雑である。

3　ヨーロッパ音楽ではリズムは機械的な周期的反復であり，邦楽ではこのようなリズムのことを「間」と呼んでいる。

4　ヨーロッパと日本では民族的美感は異なるが，第一義的な時間的秩序を音と音との間に求めている点は，同じである。

5　日本とヨーロッパでは，空間や時間に対する考え方は異なっているものの，音楽におけるリズムの複雑さはほぼ同じである。

解説

正答 2

❶ ×　第1段落の内容で判断する。前半は正しいが，後半が誤り。「ヨーロッパの人たちは，複雑さのなかから単純なものを引きだすことに情熱を傾けた」との記述はあるが,「ヨーロッパの人たちが単純なものを好まない」という記述はない。

❷ ○　そのとおり。第1段落の内容で判断する。「日本の民族楽器は,……楽器の構造は一見きわめて単純である」が,「その楽器から出される音色は，日本の楽器とは比較にならぬほど単純なものだ」とあるため，日本の民族楽器の音色は複雑であることがわかる。

❸ ×　第2段落の内容で判断する。邦楽における「間」は，ヨーロッパ音楽にはないので，ヨーロッパ音楽におけるリズムの機械的な周期的反復を「間」と呼ぶという記述は誤り。

❹ ×　第3段落の内容で判断する。「第一義的な時間的秩序を音と音の間に求めている点は，同じである」としている点が誤り。これは邦楽の特徴である。

❺ ×　第4段落の内容で判断する。「日本の民族音楽におけるリズムの複雑さは，とうていヨーロッパ音楽の及ぶところではない」ので,「音楽におけるリズムの複雑さはほぼ同じである」としている点が誤り。

33 英文

ここだけ押さえよう！

ここだけ① 内容把握

段落ごとに選択肢と突き合わせながらパラグラフリーディングをしていくといいよ。

内容の合致を問う出題で，必ず出題されるといってよい。現代文と同じように，**段落ごとに選択肢と突き合わせながら**検討を加えるのがポイント。たとえば，選択肢１は問題文の最初のほうの段落で正誤判断が可能なことが多く，選択肢５は最後のほうの段落で正誤判断が可能なことが多い。問題文を上から順番に選択肢と突き合わせて検討するとよい。

例題

次の英文中に述べられていることと一致するものとして，最も妥当なのはどれか。 【特別区】

Japanese people worry too much about their own English.

Then, when Japanese people give speeches, they apologize for not being good at English at the beginning. Sometimes, they say, “I’m not good at English, so I feel nervous,” so the listeners think the Japanese person has no confidence and wonder if there is any value in listening to what he or she is saying.

Be aware that when giving speeches or presentations, Japanese people and Westerners have different tacit rules.

Japanese people think that the person giving the speech should convey the message to the listeners clearly, and that he or she should speak with perfect knowledge and knowhow.

On the other hand, Westerners think that in order to understand the person giving the speech, the listeners have a

responsibility to make active efforts to understand.

There is a difference between Japanese people, who place a heavy responsibility on the speaker, and Westerners, who have a sense of personal responsibility for understanding the speaker. This causes various miscommunications and misunderstandings at presentations which include Japanese people.

Therefore, Japanese people should not apologize for not being able to speak English. They should start by saying clearly what they want to talk about.

（山久瀬洋二：Jake Ronaldson「日本人が誤解される100の言動」による）

1 日本人は，自分の英語力を気にして，スピーチのときに，最後に英語がうまくなかったことを謝ることがある。

2 スピーチやプレゼンテーションをするとき，日本と欧米とでは，暗黙のルールに違いがあることは有名である。

3 日本人は，スピーチをする人は完璧な知識とノウハウをもって話をしなければならないと考える。

4 欧米では，スピーチをする人の責任として，聞き手に理解させるために，積極的に行動しなければならないという意識がある。

5 日本人は，英語ができないことを謝ってから，自分の言いたいことを堂々と話し始めるようにしたいものである。

全訳

日本人は自分たちの英語力を気にしすぎる。

そして，日本人はスピーチをするとき，最初に英語がうまくないことを謝る。時には，「英語が苦手なので，緊張しています」と言い，そのため聞き手は，この人は自信がないと考え，そんな人が言うことを聞く価値があるだろうかと思ってしまう。

スピーチやプレゼンテーションをするとき，日本と欧米とでは，暗黙のルールに違いがあることに注意しよう。

日本人は，スピーチをする人は，聞き手にしっかりとメッセージを伝え，完璧な知識とノウハウをもって話をしなければならないと考える。

それに対し，欧米では，スピーチをする人の言うことを理解するためには，聞き手の責任として，積極的に行動しなければならないという意識がある。

スピーチをする人の責任を重く見る日本人と，話し手を理解するための聞き手の自己責任を意識する欧米人の間には違いがある。このことが，日本人が参加するプレゼンテーションの場でのさまざまな行き違いや誤解を生む。

したがって，日本人は，英語ができないことを謝るべきではない。自分の言いたいことを堂々と話し始めるようにしたいものである。

❶× 第２段落に,「at the beginning」とあるように,「最初」に英語がうまくいかないことを謝る。「最後」ではないので誤り。

❷× 第３段落に,「Be aware that……」とあるように，日米の暗黙のルールの違いがあることに注意するべきことを述べているだけで,「違いがあることは有名である」とは述べていない。

❸○ そのとおり。第４段落に書かれている内容と一致する。

❹× 第５段落に,「the listeners have a responsibility to make active efforts to understand」とあることから，欧米では，話し手を理解するために積極的に行動するのは聞き手の責任という意識がある。

❺× 第７段落に,「Japanese people should not apologize for not being able to speak English」とあるように，日本人は英語ができないことを謝るべきではないと述べている。

②空欄補充

(ここだけ)

空欄に入る**「単語」を選ぶ問題**が多い。空欄の前後の文脈から確定させたり，文章全体の方向性から確定させたりする必要がある。

次の英文の空所ア，イに該当する語の組合せとして，最も妥当なのはどれか。【特別区】

Boys and girls often ask me (particularly when their teachers

are present) if I don't think it a bad thing for them to be compelled to learn poetry by heart in school. The answer is — Yes, and No. If you've got into the way of thinking that poetry is stupid stuff, or [ア], or beneath your dignity, then you certainly won't get much out of learning it by heart. But remember that it is a good thing to train your memory, and learning a poem is at least a much pleasanter way of training it than learning, say, twenty lines out of the telephone directory. What is more important, to learn poetry is to learn a respect for words; and without this respect for words, you will never be able to think clearly or express yourself properly: and until you can do that, you'll never fully grow up — not though you live to be a hundred. A third good reason for learning poetry by heart is that, by doing so, you are sowing a harvest in yourself. It may seem to you at the time a dull, laborious business, with nothing to show for it: but, as you get a bit older, you'll find passages of poetry you learnt at school, and thought you had forgotten, thrusting up out of your memory, making life [イ] and more interesting.

(C. Day Lewis：加納秀夫・早乙女忠「対訳C・デイ・ルイス」による)

	A	B
1	correct	happier
2	correct	harder
3	precious	nastier
4	useless	happier
5	useless	harder

全訳

少年少女は(特に彼らの教師がそばにいるとき)，学校で詩を無理やり暗記させて学ばせるのは，悪いことだと思わないかと，私によく尋ねる。答えは，イエスでもありノーでもある。詩をくだらなくて，無用で(＝[ア])，あなたの品位にふさわしくないものだという考えに陥っているならば，確かに詩を暗記して学んでもあまり得るものはないだろう。しかし，ここで覚えておきたいのは，記憶力を訓練することは良いことであり，詩を学ぶことは少なくとも，たとえば電話帳を20行学ぶよりもはるかに楽しい訓練法だということだ。さらに重要なことは，詩を学ぶことは，言葉への敬意を学ぶことである。そして，言葉への敬意がなくては，はっきりとものを考えることも，自分を適切に表現することも決してできないだろう。また，そうすることができるまでは，100歳まで生きても，完全に成人したとはいえない。詩を暗記して学ぶことを勧める3つ目のもっともな理由は，そうすることによって，自分の中に作物の種をまいていることになるということだ。それはそのときは，退屈で，骨の折れる仕事で，何も成果が残らないように思えるかもしれない。しかし，少し年を取ると，学校で学んだが忘れてしまったと思っている詩の節が記憶からよみがえり，人生をより幸せで(＝［ イ ］)興味深いものにする。

アは，詩に対する評価が入る。前後にネガティブな評価，stupid stuff(くだらないこと)，beneath your dignity(品位にふさわしくない)が並んでいるので，アにもネガティブな用語が入ると推測できる。よって，useless(無用の)が入ることがわかる。

イは，詩の節が記憶からよみがえると，人生がどうなるのかを考える必要があるが，イの後に,「and」で並列されて，more interesting(より興味深い)と続いていることから，ポジティブな用語が入ると推測できる。よって，happier(より幸せ)が入ることがわかる。したがって，正答は**4**。

ここだけ ③ 文章整序

特別区で出題される。キーワード，接続詞・指示語を駆使して論理の**ブロックを作る**ことになる。選択肢をうまく使うと正答に近づきやすくなる。

ここだけ ④ 要旨把握

ブロックを作る
短文整序なので，意味を
とりやすいことが多いよ。

地方上級や市役所上級の問題で出題される。選択肢の一つ一つの内容の正誤でなく，**要旨は何かという視点で正答を導き出す**ことが大切である。文章量が少ないので，比較的簡単な問題が多い。

次の英文中に述べられていることと一致するものとして，最も妥当なのはどれか。 【特別区】

Even though touching, especially hugging, is common in American culture, dancing with a partner is much more intimate. That king of dancing was not part of my education or upbringing, so I'm sure it felt as strange to me at first as it did to most of the Japanese dancers. The Japanese teacher, an expert salsa dancer herself, talked a lot about leading and following. I became fascinated with that dynamic.

If you think about it, learning dance is an amazing life lesson. It's all about cooperation, concentration and trust, feeling what your partner is feeling, and working through "problems" together while still having fun. And that lesson crosses cultures as well. Partner dance is partner dance, whether you're doing the tango or the Texas＊ two-step.

Here in Texas, everyone seems to be dancing these days. The Texas two-step, cowboy style, has always been big here, but now Latin, and in particular Tejano＊ dance is popular too. When I went to a Tejano music festival recently, I couldn't take my eyes off the older couples. They moved together with the kind of grace and intimacy that only comes from truly knowing your partner. After years and years of marriage, they were still enjoying the dance of life together. I couldn't help but think, hey, that's what I want to be doing at 80.

Dance lets us literally step into another culture, and, for some of us, back into life and a whole new side of ourselves.

(Kay Hetherly：鈴木香織「A Taste of Japan」による)

＊ Texas……テキサス州

＊ Tejano……メキシコ系テキサス州人，テハーノ

1 人と触れ合うこと，とりわけ抱き合うことは，アメリカ文化の中で珍しいことである。

2 パートナーと踊るダンスは，私の育ってきた環境にはなかったが，初めから居心地の悪さを感じることはなかった。

3 ダンスとは，協力と集中，信頼，パートナーの気持ちを感じ取ること，そして苦しみつつもともに問題を乗り越えることである。

4 音楽祭で高齢のカップルに目を奪われたが，私は80歳になったとき，ああいうふうにしていたいとは思わなかった。

5 ダンスは，私たちに別の文化に足を踏み入れさせてくれ，ダンスによって，自分自身のまったく新しい面に出会う人もいる。

全訳

アメリカの文化では，人と触れ合うこと，とりわけ抱き合うことはよくあることであっても，パートナーとダンスすることは，はるかに親密なことである。この種のダンスは，私が受けて来た教育あるいはしつけの一部ではなかったので，日本人のダンサーの多くと同様に，私も最初は居心地の悪さを感じたことは確かだ。彼女自身がサルサのエキスパートでもある日本人の教師が，リードとフォローについてたくさん話してくれた。私はダンスの力強さに魅了されるようになった。

考えてみると，ダンスを学ぶということはすばらしい人生のレッスンだ。ダンスとは要するに，協調，集中，信頼，パートナーの気持ちを感じ取ること，楽しみながらともに「問題」に取り組むことである。そして，そのレッスンは文化も越えていく。タンゴを踊ろうとテキサス・ツーステップを踊ろうと，社交ダンスは社交ダンスだ。

ここテキサス州では，このところ誰もがダンスをしているように見える。ここではいつもカウボーイスタイルのテキサス・ツーステップが流行しているが，今はラテン，とりわけテハーノダンスも人気がある。先日，テハーノ音楽祭に行ったとき，私は高齢のカップルに目を奪われた。彼らのダンスの動きには，パートナーを心からよく理解していなければ見られない優美さと親密さが表れていた。結婚して何年も何年もたった今でも，彼らは人生というダンスを一緒に楽しんでいるのだ。そう，私も80歳になったとき，あんなふうにしていたいと思わずにはいられなかった。

ダンスは，文字どおり，別の文化に足を踏み入れさせてくれ，そして，なかには人生を取り戻し，自分自身のまったく新しい面に出会う人もいる。

解説

正答 5

❶	×	第1段落に,「Even though touching, especially hugging, is common in American culture」とあるので，人と触れ合うことや抱き合うことはアメリカ文化ではよくあることである。「珍しいこと」ではない。
❷	×	第1段落に,「I'm sure it felt as strange to me at first as it did to most of the Japanese dancers」とあることから，日本人のダンサーの多くと同様に，最初は居心地の悪さを感じたことがわかる。「初めから居心地の悪さを感じることはなかった」わけではない。
❸	×	第2段落に,「while still having fun」とあることから，パートナーと踊るダンスは，楽しみながらともに問題を乗り越えることである。「苦しみつつも」という部分が誤り。
❹	×	第3段落に,「I couldn't help but think, hey, that's what I want to be doing at 80」とある。したがって，私も80歳になったとき，あんなふうにしていたいと思わずにはいられなかったのであり,「ああいうふうにしていたいとは思わなかった」のではない。
❺	○	そのとおり。第4段落の内容と一致している。

34 対応表

超約 ここだけ押さえよう！

対応表とは縦軸に人物，横軸に対象物を置き，該当なら○，該当していないなら×をつける表のことをいう。

ここだけ ① 2集合対応（1対1の対応）

縦の1人に対し，横の対象物がただ1つだけ決まる問題は，○が1つ記入されると,「その縦横の残りのラインすべて」に×が記入される。

例題 A，B，Cの3人はそれぞれ乗馬，ボート，サイクリングが趣味である。次のことがわかっているとき，Cの趣味は何か。

ア　Aは乗馬が趣味である。

イ　Bはボートが趣味でない。

問題文の条件ア，イを対応表にまとめると，次のようになる。

	乗馬	ボート	サイクリング
A	○	×	×
B	×	×	○
C	×	○	×

A.ボート

ここだけ
② 複数対応

１人の人が複数の対象物を選択する場合をいう。

この場合は１対１対応のように，○が１つ記入されると，その縦横の残りのラインすべてに×が記入されることはない。

また，欄外に○の合計個数を書く欄を作ると，解法のヒントになることが多い。

ここだけ
③ ３集合対応

対応するものが３個存在する場合は，連結対応表を作る。

例題 A～C君の３人はそれぞれ，コンビニ，飲食店，アパレルショップでアルバイトをしており，また，犬，猫，ヤギを飼っている。次のことがわかっているとき，猫を飼っているのは誰か。

ア　A君はコンビニでアルバイトをし，犬を飼っている。
イ　B君は飲食店でアルバイトをしている。
ウ　アパレルショップでアルバイトをしている者はヤギを飼っている。

問題文の条件ア，イ，ウを対応表にまとめると以下のようになる。

	コンビニ	飲食	アパレル	犬	猫	ヤギ
A	ア ○	×	×	○	×	×
B	×	イ ○	×	×	○	×
C	×	×	○ ウ	×	×	○

２つの表を連結させる！

A. B君

条件をひととおり記入して情報を整理できれば，残りの空欄もわかってくるよ。

14章 判断推理
34 対応表

厳選問題

A～Dの４人は，ある週に２回，甘味屋でそれぞれ１つずつあんみつを注文した。あんみつには，アイス，白玉，あんずの３種類のトッピングがあり，あんみつ１つに対して複数の種類をトッピングすることも，何もトッピングしないこともできる。ただし，同じ種類のトッピングは，あんみつ１つに対して１人１個とする。次のア～カのことがわかっているとき，確実にいえるのはどれか。

【特別区】

ア　２回の注文とも，アイスは１人，白玉は３人，あんずは２人がトッピングした。

イ　Aが白玉をトッピングしたのは，２回の注文のうち，いずれか１回だけだった。

ウ　Bがアイスをトッピングしたのは，２回目だけだった。

エ　２回の注文を合わせたトッピングの延べ個数は，Bが他の３人より多かった。

オ　Cは１回目に何もトッピングしなかった。

カ　１回目にあんずをトッピングした人は，２回目にアイスをトッピングしなかった。

1　１人は２回の注文ともあんずをトッピングした。

2　Aは２回目に何もトッピングしなかった。

3　Bは１回目にあんずをトッピングした。

4　あんみつ１つに対して３種類すべてをトッピングしたのは１人だけだった。

5　Dは１回目にアイスをトッピングした。

正答 **2**

STEP 1

条件ア，イ，ウ，オ，カをまとめると，表Ⅰのようになる。

１回目にDがアイスをトッピングしていたとすると，条件エを満たさない。

したがって，１回目にアイスをトッピングしたのはAである。

STEP 2

最終的に条件エを満たすのは，表Ⅱの場合だけである。

表Ⅰ　(条件ア，イ，ウ，オ，カをまとめたもの)

	1回目			2回目		
	アイス	白玉	あんず	アイス	白玉	あんず
A		○	○	×	×	
B	×	○	×	○	○	
C	×	×	×	×	○	
D		○	○	×	○	
	1人	3人	2人	1人	3人	2人

表Ⅱ　(条件エを反映させたもの)

	1回目			2回目		
	アイス	白玉	あんず	アイス	白玉	あんず
A	○	○	○	×	×	×
B	×	○	×	○	○	○
C	×	×	×	×	○	○
D	×	○	○	×	○	×
	1人	3人	2人	1人	3人	2人

←Bのトッピング延べ個数がほかの3人より多い。

厳選問題

A～Fの６人が共同生活をしており，毎日１人ずつ順番で朝食を準備している。今，ある月から翌月にかけての連続した14日間について，次のア～オのことがわかっているとき，Aの翌日に朝食を準備したのは誰か。ただし，６人の各人は，朝食を準備した日の６日後に，必ずまた朝食を準備するものとする。

【特別区】

ア　Bは，第５火曜日と５日の日に朝食を準備した。
イ　Cは，３日の日に朝食を準備した。
ウ　Dは，水曜日に朝食を準備した。
エ　Eは，第１金曜日に朝食を準備した。
オ　Fは，月の終わりの日に朝食を準備した。

1　B

2　C

3　D

4　E

5　F

正答 1

STEP 1

Ｂが朝食を準備したのは第５火曜日と５日であることから，表Ⅰのようになる。

表Ⅰ　（条件アから作成したもの）

日	月	火	水	木	金	土	
				1	2	3	(日)
		B					(人)
4	5	6	7	8	9	10	(日)
	B						(人)

STEP 2

第５火曜日は月の最終週の火曜日であり，木曜日が翌月の１日であることがわかり，C，E，F についても判明する（表Ⅱ）。

表Ⅱ　（条件イ，エ，オを反映させたもの）

日	月	火	水	木	金	土	
				1	2	3	(日)
		B	F		E	C	(人)
4	5	6	7	8	9	10	(日)
	B	F		E	C		(人)

STEP 3

Ｄの水曜日は７日（もう１回は１日），Ａは４日の日曜日と，10日の土曜日となり，表Ⅲのようにすべて確定し，Ａの翌日に朝食を準備したのはＢだとわかる。

表Ⅲ　（条件ウを反映させたもの）

日	月	火	水	木	金	土	
				1	2	3	(日)
C	A	B	F	D	E	C	(人)
4	5	6	7	8	9	10	(日)
A	B	F	D	E	C	A	(人)

厳選問題

ある店ではA～Fの６人がアルバイトをしており，月曜日から金曜日までの５日間に次のようなシフトで勤務していた。このとき，確実にいえるものはどれか。【地方上級】

- 毎日，３人が働いている。
- AとBは同じ日に働き，同じ日に休んでいる。
- Cは３日働いており，そのうち１日は金曜日であった。
- EかFが働いている日はDも働いている。
- Eは木曜日に，Fは水曜日に働いており，あと１日同じ日に働いている。

1 AとFが働いている日がある。

2 Bは３日働いている。

3 Cは月曜日に働いている。

4 Dは火曜日に働いている。

5 Eは月曜日に働いている。

解説

正答 4

STEP 1

２つ目以外の条件を表にまとめると次のようになる。

	月	火	水	木	金	計
A						
B						
C					○	3
D			○	○		
E			×	○		2
F			○	×		2
計	3	3	3	3	3	15

STEP 2

「AとBは同じ日に働き，同じ日に休んでいる」ので，AとBで各曜日の「○」の合計は０個か２個である。よって，合計数より水曜日と木曜日はどちらも働いておらず，水曜日と木曜日のあと１人はCとわかる。これより，Cが働いている３日は確定する。

	月	火	水	木	金	計
A			×	×		
B			×	×		
C	×	×	○	○	○	3
D			○	○		
E			×	○		2
F			○	×		2
計	3	3	3	3	3	15

STEP 3

「EかFが働いている日はDも働いている」のでEとFが働いているあと１日は月曜日か火曜日となり，その日にDも働いていることがわかる。また，EとFが働いていない月曜日もしくは火曜日は，合計数よりAとBが働いている。

	月か火		水	木	金	計
A	×	○	×	×		
B	×	○	×	×		
C	×	×	○	○	○	3
D	○		○	○		
E	○	×	×	○	×	2
F	○	×	○	×	×	2
計	3	3	3	3	3	15

STEP 4

AとBは同じ曜日に働いているので，金曜日のあと２人はAとBとなり，合計数より右の表のようになる。

	月か火		水	木	金	計
A	×	○	×	×	○	2
B	×	○	×	×	○	2
C	×	×	○	○	○	3
D	○	○	○	○	×	4
E	○	×	×	○	×	2
F	○	×	○	×	×	2
計	3	3	3	3	3	15

以上より選択肢を検討すると，正答は**4**である。

35 順序関係・位置関係

超約 ここだけ押さえよう！

ここだけ ① 順序関係

条件で順序や大小の順がはっきりしているものを不等号，もしくは数直線で表し，各条件を組み立てて全体像を浮かび上がらせる。

<解き方のポイント>

A，B，C，D，Eの５人がマラソンをした場合，その順位について次のようなことがわかった。
ア　AはC，Dより順位が上である。
イ　BはCより順位が下である。
ウ　Eは最下位である。

アから順に各条件を整理してみると，以下のようになる。

ア　A＞C，A＞D
イ　C＞B
ウ　○＞○＞○＞○＞E

よって，条件アとイを考慮すると下記の３つのパターンが考えられることになる。

①A＞D＞C＞B＞E
②A＞C＞D＞B＞E
③A＞C＞B＞D＞E

これ以上は限定できなくなるので，この時点で選択肢を検討すればよい。

② 位置関係

与えられた条件をそれぞれ**ブロック化**し，それを組み立て，はめ込んで解く。組み立てていくブロックの中心は，情報量の最も多いものを用いる。また，数量条件がある場合は，もらさずに書き込みをすることがポイントになる。

<解き方のポイント>

下図のようなロッカーをＡ～Ｄの４人が使用しており，以下のことがわかっている。

ア　上下それぞれ２人ずつが使用している。
イ　Ｄの両端は誰も使用していない。
ウ　Ｂの隣をＣが使用している。
エ　ＡはＢの下を使用している。

与えられた条件を**ブロック化**し，数量条件も記入する。

イより

ウ，エより

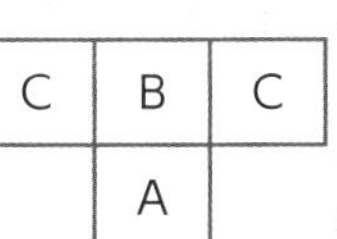

ブロック化
このように，パズルのピースみたいにすることをブロック化と呼ぶよ。

上記条件と条件アに当てはまるのは次の２つの場合となる。

		C	B	上２人
	D		A	下２人

B	C			上２人
A		D		下２人

この時点で選択肢を検討すればよい。

厳選問題

A～Eの５人は中間地点で折り返して同じ道を通ってゴールするマラソンを行った。スタート直後に生じた順番でそのまま順位の変動はなくゴールした。また，同順位者もいなかった。次のことがわかっているとき，ゴールの順番について確実にいえるのはどれか。

【市役所】

・Aは３位であった。
・Bは２人目にCとすれ違った。
・Dは３人目にEとすれ違った。

1 AとBがゴールした間にゴールした者はいなかった。

2 AとDがゴールした間にゴールした者はいなかった。

3 AとEがゴールした間にゴールした者はいなかった。

4 BとDがゴールした間にゴールした者はいなかった。

5 BとCがゴールした間にゴールした者はいなかった。

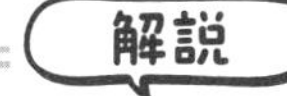

正答 3

STEP 1

「Bは２人目にCとすれ違った」ので，

Bが１位か２位であればCは３位で，Bが３位以下であればCは２位となる。

よって，Cは２位か３位と判断できる。

STEP 2

条件「Aは３位であった」より，Cは２位と確定する。同様に「Dは３人目にEとすれ違った」のでEは３位か４位となるが，Aが３位なので，Eは４位となる。

これらをまとめると以下の表のようになる。

1位	2位	3位	4位	5位
	C	A	E	

STEP 3

「Bは２人目にCとすれ違った」ので，Bは５位となり，ここでDは１位と確定する。

確定した順位は以下のようになる。

1位	2位	3位	4位	5位
D	C	A	E	B

もう1点GET +α

順位変動の問題

「折り返しまでに x 人とすれ違った」は

折り返し地点での順位は $(x+1)$ 位

「完走までに全部で x 人とすれ違った」は

参加者は全部で $(x+1)$ 人 と表して考える。

厳選問題

A～Fの６人がマラソン競争をした。今，ゴールでのタイム差について，次のア～カのことがわかっているとき，ＥとＦの着順の組合せはどれか。ただし，Ａのタイムは６人の平均タイムより速かったものとする。

【特別区】

ア　ＡとＣのタイム差は３分であった。
イ　ＢとＤのタイム差は６分であった。
ウ　ＣとＥのタイム差は18分であった。
エ　ＤとＥのタイム差は27分であった。
オ　ＡとＦのタイム差は６分であった。
カ　ＢとＦのタイム差は12分であった。

	Ｅ	Ｆ
1	１位	２位
2	１位	３位
3	１位	４位
4	６位	２位
5	６位	３位

正答 3

解説

STEP 1

２人の間のタイム差は示されているが，どちらが早いのかは示されていない。このような場合には，両開き樹形図を利用する。

STEP 2

「Aのタイムは６人の平均タイムより速かった」とされているので，Aを基準(±0)とし，Aより早ければマイナス，遅ければプラスで表す。Aより右は条件ア，ウ，エ，Aより左は条件イ，オ，カを記し，左右の端のDについて，②と⑪，④と⑭，⑤と⑪，⑦と⑭が，それぞれ一致している。

STEP 3

Aのタイムが６人の平均タイムより早いのは，「②と⑪」の組合せだけである。この組合せでは，Eは１位，Fは４位である。

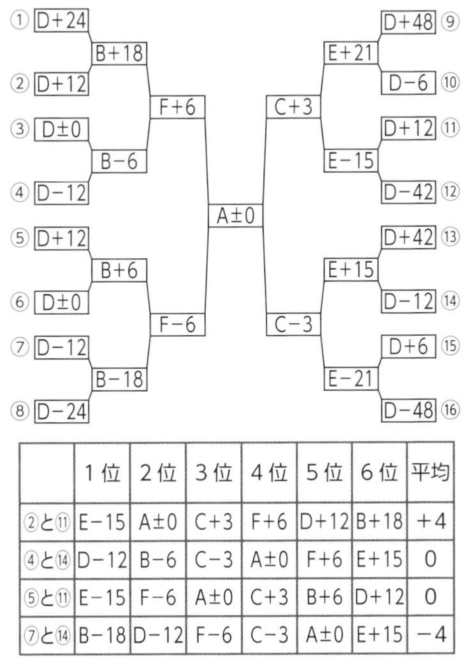

	1位	2位	3位	4位	5位	6位	平均
②と⑪	E−15	A±0	C+3	F+6	D+12	B+18	＋4
④と⑭	D−12	B−6	C−3	A±0	F+6	E+15	0
⑤と⑪	E−15	F−6	A±0	C+3	B+6	D+12	0
⑦と⑭	B−18	D−12	F−6	C−3	A±0	E+15	−4

厳選問題

あるデパートには１階から４階まであり，婦人服売場，紳士服売場，子供服売場，おもちゃ売場がそれぞれ別の階にある。このデパートにはＡ～Ｆの６人の従業員が勤務しており，いずれかの売場で働いている。次のことがわかっているとき，確実にいえるのはどれか。 【市役所】

- 各階には１人以上が働いている。
- １階と２階で働いている人数は異なっている。
- Ａの働く２つ下の階には婦人服売場がある。
- Ｂの働く１つ下の階には紳士服売場があり，１つ上の階にはＣが働いている。
- ＤとＥは同じ階で働いており，１つ上の階には子供服売場がある。

1 Ａはおもちゃ売場で働いている。

2 Ｃは３階で働いている。

3 Ｆは婦人服売場で働いている。

4 おもちゃ売場では１人が働いている。

5 ３人以上働いている売場がある。

正答 4

STEP 1

条件３つ目から５つ目をブロック化する。

①条件３つ目　　②条件４つ目　　③条件５つ目

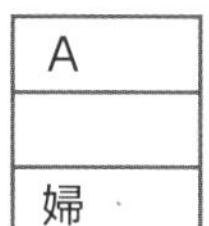

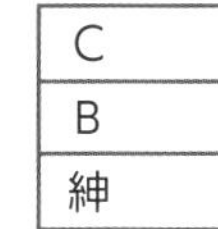

子
D，E

STEP 2

婦人服売場と紳士服売場は別の階なので，３つ目の条件のAと４つ目の条件のCは別の階となる。Aの上の階にCが働いている場合と，Aの下の階にCが働いているときで場合分けをする。

STEP 3

Aの１つ上の階にCがいるとき，①と②を合わせると図Ⅰとなる。

〈図Ⅰ〉

階	
４階	C
３階	A，B
２階	紳
１階	婦

これに５つ目の条件を当てはめる。DとEの働いている階を３階と考えると，３階に４人が勤務しており，１階か２階に必ず誰も働いていない階が生まれるので，１つ目の条件に反する。よって，DとEの働いている階は２階となる。残りも図Ⅱのように決まる。

〈図Ⅱ〉

階	
４階	おC
３階	子A，B
２階	紳D，E
１階	婦F

STEP 4

Aの１つ下の階にCがいるとき，３つ目の条件と４つ目の条件を図示すると図Ⅲのようになる。

〈図Ⅲ〉

階	
４階	A
３階	C
２階	婦B
１階	紳

これに５つ目の条件を当てはめると，DとEの働いている階は２階か３階となるが，３階とすると残りのFが１階となり，１階と２階で勤務している人数が同じとなり，２つ目の条件に反する。よってDとEが働いている階は２階となり，図Ⅳのようになる。

〈図Ⅳ〉

階	
４階	おA
３階	子C
２階	婦B，D，E
１階	紳

36 論理式

超約 ここだけ押さえよう！

ここだけ ① 命題

主張に対し，それが真（必ず正しいといえる）か偽（正しいとはいえない）であるかを判断できる文章を**命題**と呼ぶ。

また，命題：「AならばBである」をA→Bと表したものを**論理式**という。「Aでない」は$\overline{A}$（バー）と表す。例：「○でなければ△である」は「$\overline{\bigcirc}$→△」と表す。

ここだけ ② 逆・裏・対偶

命題：「A→B」に対して	論理式	定義
逆	B→A	元の命題のAとBを入れ替えただけ。
裏	$\overline{A}$→$\overline{B}$	条件を否定しただけ。
対偶	$\overline{B}$→$\overline{A}$	AとBを入れ替え，肯定と否定を入れ替えたもの。**元の命題と真偽が一致する。**

知って得する！

論理式として「対偶」を勉強すると少し難しそうに感じるかもしれない。しかし，たとえば日常会話で考えると「高校生ならば中学校を卒業している」「中学校を卒業していなければ高校生ではない」は同じ意味になる。
これを論理式で表すと
前者は　高校生→中学校を卒業
後者は　$\overline{\text{中学校を卒業}}$→$\overline{\text{高校生}}$
となり，日頃から意識せずとも対偶を使っていることがわかるよ。

ここだけ

③ 三段論法

命題A→B，B→Cが成り立つならば，A→B→Cとなり，A→Cが成り立つ。これを**三段論法**という。

＼知って得する！／

三段論法でつなげた論理式でも，対偶をとることができる。
例：A→B→C←Dの対偶は$\overline{A}$←$\overline{B}$←$\overline{C}$→$\overline{D}$となり，元の命題と真偽は一致する。
矢印を逆にして，肯定と否定を入れ替えればOK。

ここだけ

④ 分割可能な命題

命題の前半に「または（∨）」 or 命題の後半に「かつ（∧）」がある命題は論理式を分割できる。たとえば，

命題：「アメリカ人**または**イギリス人は英語を話す」を「（アメリカ人∨イギリス人）→英語」と表すとき，

　アメリカ人→英語，イギリス人→英語　と分割できる。

命題：「消防士は消火をし，**かつ**，救助もする」を「消防士→（消火∧救助）」と表すとき，

　消防士→消火，消防士→救助　と分割できる。

ここだけ

⑤ 論理式のポイント

❶対偶は元の命題と真偽が一致する。
❷対偶は「単なる言い換え」。
❸前「または」，後ろ「かつ」は分割可能。

この３つは覚えておこう。

厳選問題

夏休みに行った場所について「水族館に行った人は映画館に行っていない」ということがわかっている。これを証明するには次のうち２つがいえればよい。その２つの組合せとして正しいものはどれか。　【地方上級】

ア　水族館に行っていない人は美術館に行った。

イ　美術館に行った人は水族館に行っていない。

ウ　水族館に行った人は美術館に行った。

エ　美術館に行った人は映画館に行った。

オ　美術館に行っていない人は映画館に行っていない。

1　ア，エ

2　ア，オ

3　イ，エ

4　イ，オ

5　ウ，エ

解説

正答 4

STEP 1

命題「水族館に行った人は映画館に行っていない」を論理式「水族館→$\overline{映画館}$」のように表す。

水族館と映画館を含む命題以外に使われるのは，条件より，美術館を含む命題である。

STEP 2

結論：水族館→$\overline{映画館}$

命題：$\overline{水族館}$→○→映画館となる。

○には「美術館」か「$\overline{美術館}$」が入るので，「水族館→○」「○→映画館」となる論理式があればよい。

STEP 3

条件ア～オを論理式で表す。

ア $\overline{水族館}$→美術館

イ 美術館→$\overline{水族館}$（対偶: 水族館→$\overline{美術館}$）

ウ 水族館→美術館

エ 美術館→映画館

オ $\overline{美術館}$→$\overline{映画館}$

イの対偶とオをつなげると「水族館→$\overline{美術館}$→$\overline{映画館}$」となり，正答は **4** である。

厳選問題

ある社員食堂において，注文されたメニューについて次のことがわかっているとき，確実にいえるのはどれか。　【市役所】

・ラーメンを注文した人は，サラダを注文しなかった。
・八宝菜を注文した人は，唐揚げを注文しなかった。
・唐揚げを注文しなかった人は，ラーメンを注文した。

1　唐揚げを注文した人は，サラダを注文しなかった。

2　八宝菜を注文した人は，サラダを注文しなかった。

3　八宝菜を注文しなかった人は，サラダを注文した。

4　サラダを注文しなかった人は，唐揚げを注文しなかった。

5　ラーメンを注文した人は，八宝菜を注文した。

解説

正答 2

STEP 1

命題を論理式にして考える。

ここで上線(バー)は「注文しなかった」という否定を表す。

・ラーメン→$\overline{\text{サラダ}}$　…①

・八宝菜→$\overline{\text{唐揚げ}}$　…②

・$\overline{\text{唐揚げ}}$→ラーメン　…③

STEP 2

②→③→①の順につなげると次のようになる。

八宝菜→$\overline{\text{唐揚げ}}$→ラーメン→$\overline{\text{サラダ}}$

上記の論理式を使用して，選択肢を検討する。

1 ×　「唐揚げ→$\overline{\text{サラダ}}$」となり，問題文の論理式からは導くことができない。

2 ○　「八宝菜→$\overline{\text{サラダ}}$」となり，問題文の論理式から確実にいえる。

3 ×　「$\overline{\text{八宝菜}}$→サラダ」となり，問題文の論理式の裏になり，確実にはいえない。

4 ×　「$\overline{\text{サラダ}}$→$\overline{\text{唐揚げ}}$」となり，問題文の論理式の逆になり，確実にはいえない。

5 ×　「ラーメン→八宝菜」となり，問題文の論理式の逆になり，確実にはいえない。

もう1点GET +α

条件の否定

元の命題と真偽が一致するのは，**対偶**(条件のAとBを入れ替え，肯定と否定を入れ替えた論理式)である。

元の命題からAとBを入れ替えただけの**逆**，条件を否定した**裏**は，元の命題と真偽は一致しない。

「**矢印の逆走のみはNG！**」と覚えよう。

厳選問題

あるスーパーの買い物客に対し，キャベツ，ジャガイモ，タマネギ，ニンジンの４種類の野菜について，購入状況に関するアンケートをとったところ，次のことがわかった。このとき，論理的に正しいといえるものはどれか。 【地方上級】

○キャベツを購入しなかった人は，ジャガイモを購入していない。
○タマネギを購入した人は，ジャガイモとニンジンを購入した。

1 キャベツを購入した人は，ジャガイモを購入した。

2 キャベツを購入した人は，ニンジンを購入した。

3 ジャガイモとニンジンを購入した人は，キャベツを購入していない。

4 購入した野菜が２種類だった人は，ジャガイモを購入していない。

5 購入した野菜が３種類だった人は，ニンジンを購入した。

解説

正答 **5**

STEP 1

２つの命題を論理式を使って表すと次のようになる。ただし，２つ目の命題は分割する。

$\overline{\text{キャベツ}}$→$\overline{\text{ジャガイモ}}$

タマネギ→ジャガイモ

タマネギ→ニンジン

STEP 2

１つ目の論理式の対偶をとると次のようになる。

ジャガイモ→キャベツ

これらを三段論法を使ってつなげると次のようになる。

タマネギ→ジャガイモ→キャベツ

　↓

ニンジン

このことから，選択肢 **1** ～ **5** について検討する。

❶	×	キャベツ→ジャガイモとなっていないので不適である。
❷	×	キャベツ→ニンジンとなっていないので不適である。
❸	×	ジャガイモを購入しているとジャガイモ→キャベツとつながるので，ジャガイモを購入している人はキャベツを購入している。
❹	×	ジャガイモとキャベツを買った人も存在するので，不適である。
❺	○	購入した野菜が3種類の人は，必ずタマネギを買っており，タマネギを買っていたら必ずニンジンを購入しているので妥当である。

もう1点GET +α

分割可能な命題

・「または」と「かつ」を含む命題は一度分割して場合分けを考える。

・「A→BかつC」の対偶は「$\overline{B}$または$\overline{C}$→$\overline{A}$」となる。

・「または」で示された２つの命題は**同時に起こることはない**。

37 真偽

超約 ここだけ押さえよう！

ここだけ① 真偽仮定

うそつきが１人の場合に使うことが多い。発言の真偽を仮定し，矛盾を探す問題。

例題 A～Dの４人が得意教科（国語・英語・数学・理科）について次の発言をした。この中にうそつきが１人だけいるとすると，うそをついているのは誰か。得意教科はそれぞれ違うものとする。

A：「Bは数学が得意である」　　B：「Dは国語が得意である」
C：「Bは英語が得意である」　　D：「Aはうそをついている」

A～Dの発言を順に「Aがうそつきと仮定すると，B～Dが正しい発言となるので…」「Bがうそつきと仮定すると，A，C，Dが正しい発言となるので…」と解いていく。このようにそれぞれの発言の真偽を仮定して，矛盾のない場合を探していくことが真偽仮定である。

ちなみに，この問題の場合は，Bに関する発言が異なることから，AかCがうそつきだとわかる。

Aがうそつきの場合

A⇒数学 or 理科　B⇒英語　C⇒理科 or 数学　D⇒国語　が成り立つ。

Cがうそつきの場合

Aが本当のことを言っているにもかかわらず，Dは「Aがうそをついている」と言っているので，Dもうそつき。うそつきがC，D２人になってしまうので矛盾が生じる。

A.うそつきはA

ここだけ
② 事実仮定

うそつきが複数人の場合に使うことが多い。起こりうる事実を列挙し，真偽の数を合わせる問題。

例題 A～Dの４人がチケットの抽選に申し込んだところ，１人だけ当選した。それぞれの発言について，２人がうそをつき，２人が本当のことを言っているとすると，チケットに当選したのは誰か。

A：「私かBが当選した」　B：「Dが当選した」
C：「私かAが当選した」　D：「私かAが当選した」

以下のような真偽表を作る。

「仮にAが当選していたとすると，それぞれの発言は本当になるかうそになるか」のように考え，○×をつけていく。

発言＼当選	A	B	C	D
A	○	○	×	×
B	×	×	×	○
C	○	×	○	×
D	○	×	×	○

すると，Dが当選したとき，BとDが正直者，AとCがうそつきとなり数が合う。

A.当選者はD

事実仮定
このように，当選したという「事実」を仮定し，真偽の数を合わせる。

14章 判断推理
37 真偽

厳選問題

サッカー場にいたA，B，C，Dと野球場にいたE，F，Gの計7人が次のような発言をした。このうち2人の発言は正しく，残りの5人の発言は誤っているとき，正しい発言をした2人の組合せとして，確実にいえるのはどれか。ただし，7人のうちラーメンが好きな人は2人である。 【特別区】

A 「Cの発言は誤りである」
B 「サッカー場にいた4人はラーメンが好きではない」
C 「Aはラーメンが好きである」
D 「A，Cの発言はいずれも誤りである」
E 「ラーメンが好きな2人はいずれもサッカー場にいた」
F 「私はラーメンが好きではない」
G 「E，Fの発言のうち，少なくともいずれは正しい」

1 A，B

2 A，G

3 B，F

4 E，D

5 F，G

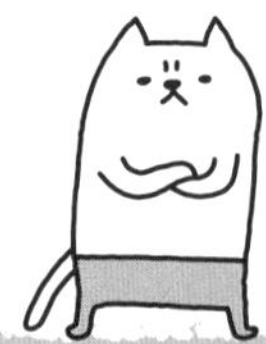

解説

正答 1

STEP1

Aの発言で，Aが正しい発言をしているとするとCは誤りとなり，Aが誤りとすると，Cは正しい発言をしていることとなる。よって，Dの「A，Cの発言はいずれも誤りである。」という発言は誤りであることがわかる。

STEP2

AとCのいずれかが正しい発言をしていることから，残りの正しい発言をしている者は１人となる。また，Gの発言が正しいとすると，E，Fのいずれかが正しい発言をしたことになり，正しい発言をした者が３人となり題意に反する。よってGの発言は誤りとなり，E，Fも誤りとなる。

STEP3

この時点で，Bの発言は必ず正しいものとなる。Bの発言から，サッカー場にいたA，B，C，Dはラーメンが嫌いとなるので，AとCは，Aが正しい発言をし，Cが誤った発言をしたことがわかる。

よって，正しい発言をした人はAとBになり，正答は **1** とわかる。

厳選問題

A～Eの5人が，ある競技の観戦チケットの抽選に申し込み，このうちの1人が当選した。5人に話を聞いたところ，次のような返事があった。このとき，5人のうち3人が本当のことを言い，2人がうそをついているとすると，確実にいえるのはどれか。

【特別区】

A 「当選したのはBかCのどちらかだ」
B 「当選したのはAかCのどちらかだ」
C 「当選したのはDかEである」
D 「私とCは当選していない」
E 「当選したのはBかDのどちらかだ」

1 Aが当選した。

2 Bが当選した。

3 Cが当選した。

4 Dが当選した。

5 Eが当選した。

解説

正答 2

本問はうそつきが２人いるので，事実仮定で解く。

STEP 1

５人の発言から，当選した可能性があると言われている者を○として表を作成する。

STEP 2

５人の中で本当のことを言っているのは３人だけなので，３人から当選した可能性があると言われている者（２人から当選した可能性がないと言われている者）が当選者である。

STEP 3

よって，３人から当選した可能性があると言われているのはＢだけである。

		A	B	C	D	E
発言者	A	×	○	○	×	×
	B	○	×	○	×	×
	C	×	×	×	○	○
	D	○	○	×	×	○
	E	×	○	×	○	×

厳選問題

A～Eの５人が，音楽コンクールで１位～５位になった。誰がどの順位だったかについて，A～Eの５人に話を聞いたところ，次のような返事があった。このとき，A～Eの５人の発言内容は，いずれも半分が本当で，半分は誤りであるとすると，確実にいえるのはどれか。ただし，同順位はなかった。

【特別区】

A 「Cが１位で，Bが２位だった」
B 「Eが３位で，Cが４位だった」
C 「Aが４位で，Dが５位だった」
D 「Cが１位で，Eが３位だった」
E 「Bが２位で，Dが５位だった」

1 Aが，１位だった。

2 Bが，１位だった。

3 Cが，１位だった。

4 Dが，１位だった。

5 Eが，１位だった。

解説

正答 4

STEP 1

発言のいずれかが正しく，もう片方が誤り（片方がうそつき）の問題は１人の発言の前半と後半を正しいか誤りかで場合分けするとよい。今回はＡの発言で場合分けをする。Ａの発言の前半「Ｃが１位」を正しいと仮定すると，後半の「Ｂが２位」は誤りとなる。ここからＤの発言の前半は正しく，後半の「Ｅが３位」は誤りとなる。ところが，Ｃは１位なので，Ｂの発言の後半「Ｃが４位」は誤りで，前半の「Ｅが３位」は正しいことになり，Ｄの発言と矛盾する（表Ⅰ）。
そこで，Ａの発言の前半を誤り，後半を正しいとすると,「Ｂは２位」である。Ｄの発言も前半が誤りとなるので，後半は正しく,「Ｅは３位」である。Ｅの発言から「Ｄが５位」は誤りなので，Ｃの発言から「Ａは４位」となる（表Ⅱ）。

表Ⅰ

A	Cが１位	○	×	Bが２位
B	Eが３位	○	×	Cが４位
C	Aが４位	×	○	Dが５位
D	Cが１位	○	×	Eが３位
E	Bが２位	×	○	Dが５位

表Ⅱ

A	Cが１位	×	○	Bが２位
B	Eが３位	○	×	Cが４位
C	Aが４位	○	×	Dが５位
D	Cが１位	×	○	Eが３位
E	Bが２位	○	×	Dが５位

STEP 2

Ｂ＝２位，Ｅ＝３位，Ａ＝４位が決まり,「Ｄが５位」は誤りなので，Ｄ＝１位，Ｃ＝５位のように確定する（表Ⅲ）。

表Ⅲ

１位	D
２位	B
３位	E
４位	A
５位	C

38 展開図

超約 ここだけ押さえよう！

ここだけ ① 正六面体

(1)重なる点

展開図上で「2面連続している正方形の対角線」は，組み立てた際に真逆の位置になる。よって，この作業を2回繰り返せば,「真逆の真逆」で元の点に戻ることになり，重なる点がわかる。

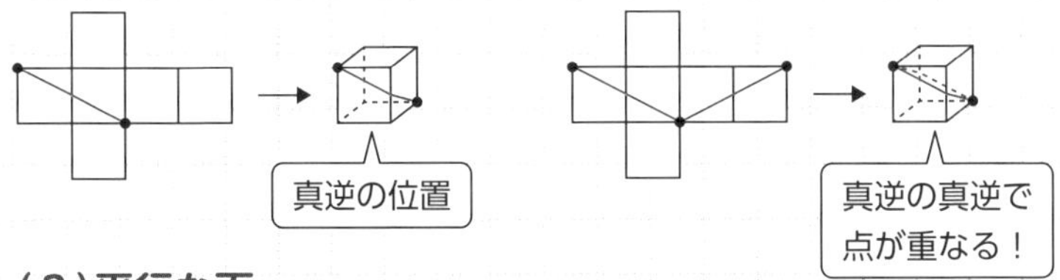

(2)平行な面

展開図上で「連続している3面の両端」は，組み立てた際に平行な(向かい合う)面となる。

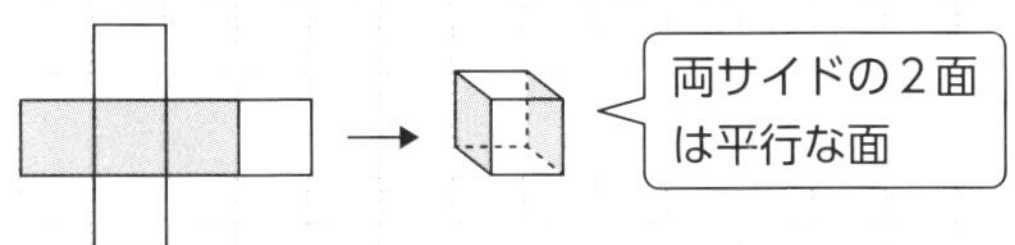

(3)展開図の変形

展開図上で，90°の部分は，そこを中心に面を回転させることができる。

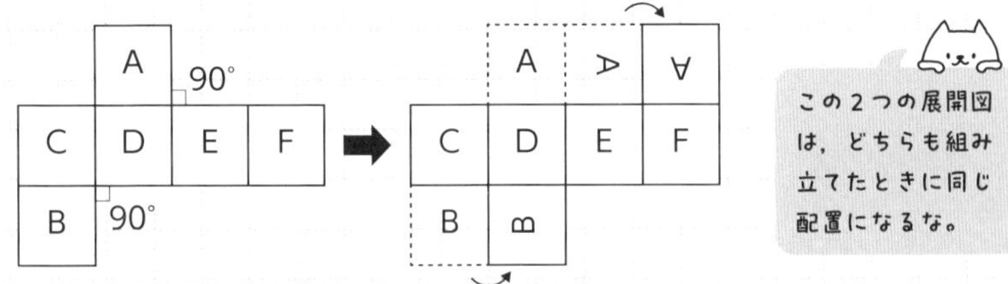

（１）重なる点

展開図上で「２面連続している正三角形（ひし形）の対角線」は，組み立てた際に真逆の位置になる。よって，この作業を２回すれば，「真逆の真逆」で元の点に戻ることになる。

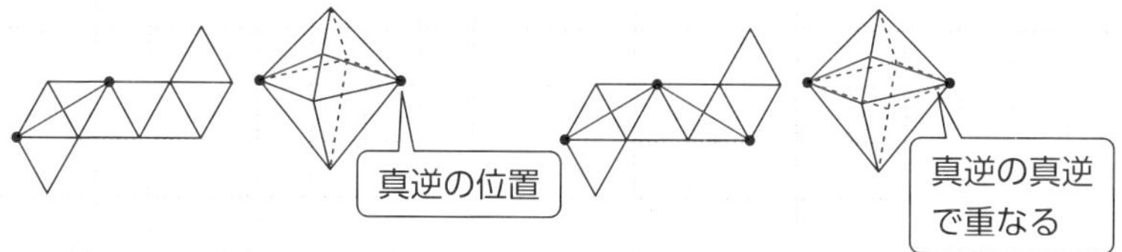

（２）平行な面

展開図上で「連続している４面の両端」は，組み立てた際に平行な（向かい合う）面となる。

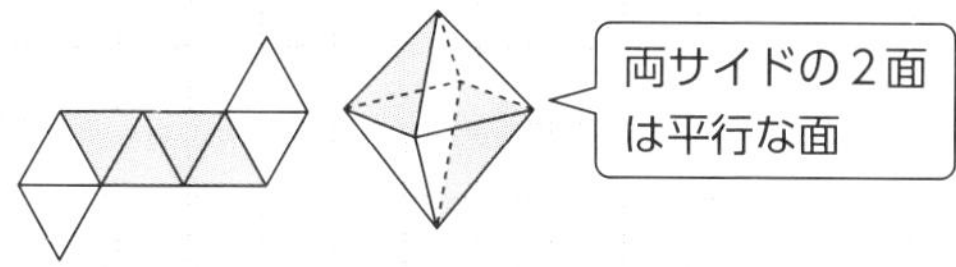

（３）平行な辺

展開図上で「３枚続いている正三角形（台形）の脚」は，組み立てた際に平行な辺となる。

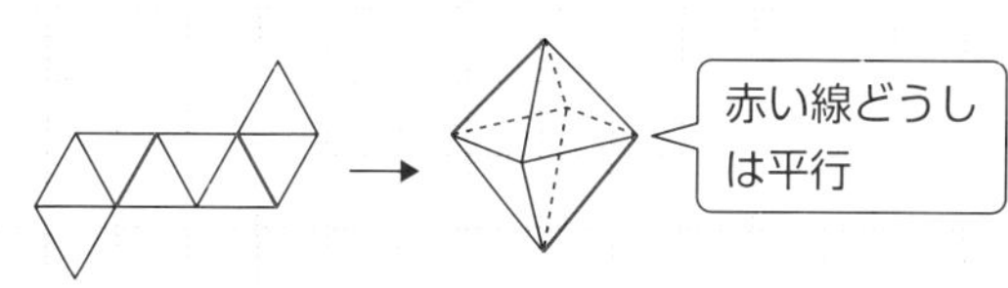

（４）展開図の変形

展開図上で120°の部分は，そこを中心に面を回転させることができる。

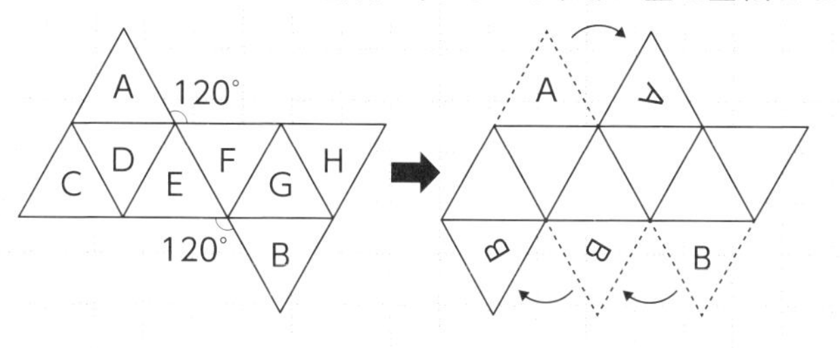

この２つの展開図は，どちらも組み立てたときに同じ配置になるよ。

厳選問題

次の図は，正八面体の展開図のうちの１つの面に●印，３つの面に矢印を描いたものであるが，この展開図を各印が描かれた面を外側にして組み立てたとき，正八面体の見え方として，ありうるのはどれか。

【特別区】

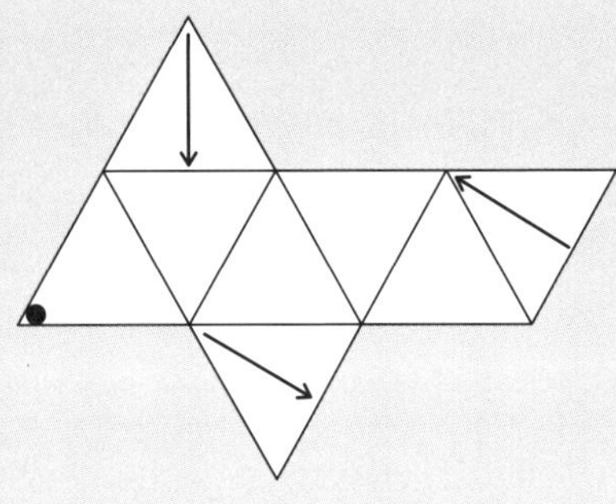

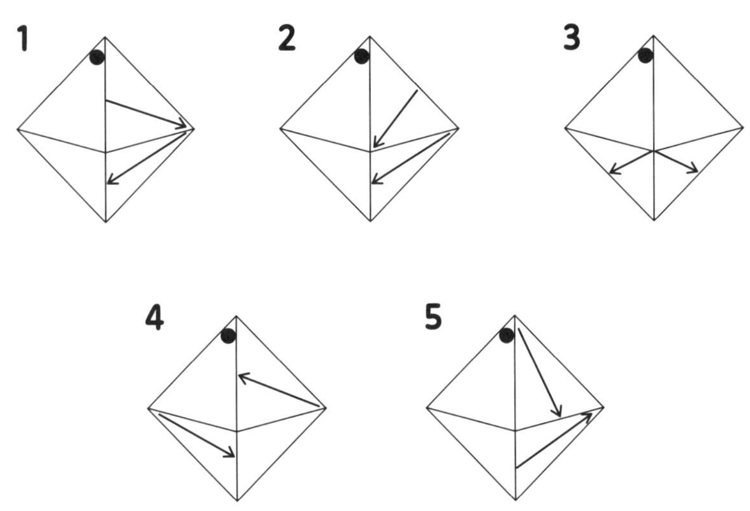

解説

正答 1

STEP 1

図Ⅰの正八面体 ABCDEF を展開すると，その展開図において，２面並んだひし形の長対角線方向の２頂点は，必ず，A－F，B－D，C－Eのように真逆(立体の対角線上の)組合せになる（図Ⅱ）。ここから，重なる点を考えるとすべての頂点を決定できる。

図Ⅰ

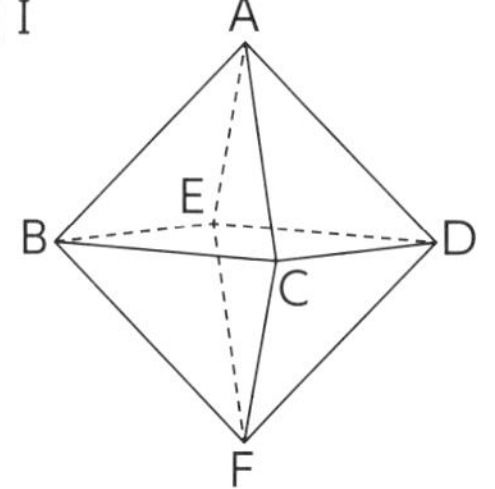

図Ⅱ

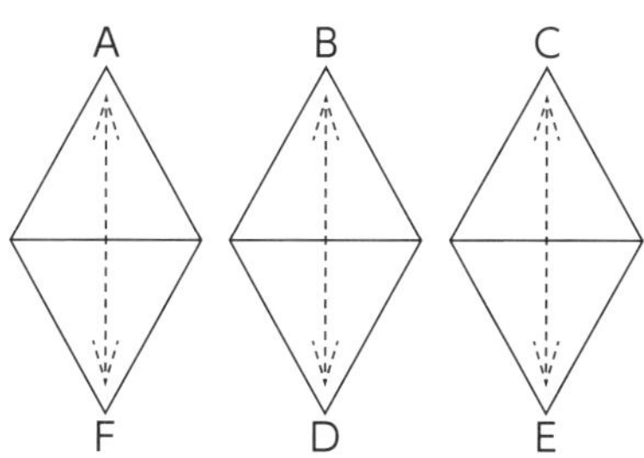

STEP 2

図Ⅲのように，●印のついた面の●印がある頂点をAとして，この面を面ABCとしてみれば，展開図のすべての面の頂点が決まる。

図Ⅲ

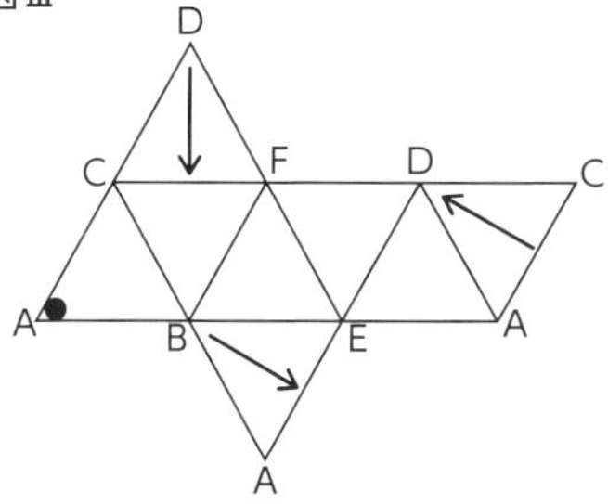

図Ⅳ

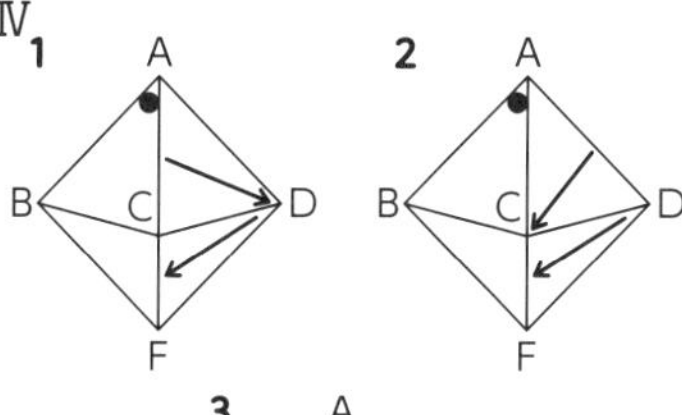

STEP 3

図Ⅲの展開図をもとに各選択肢の図を検討すればよい。そうすると，図Ⅳのようになり，図Ⅲの展開図と各頂点が一致するのは選択肢**1**だけである。

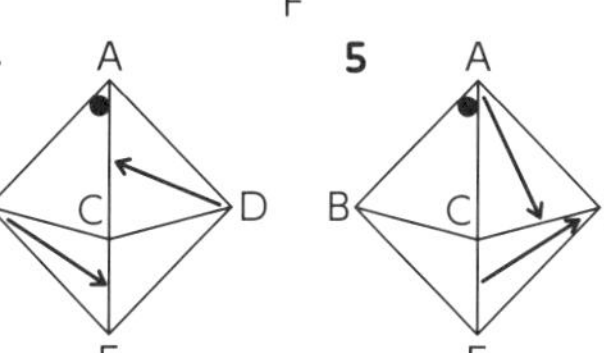

14章 判断推理

38 展開図

厳選問題

次の図のような展開図を立方体に組み立て，その立方体を改めて展開したとき，同一の展開図となるのはどれか。

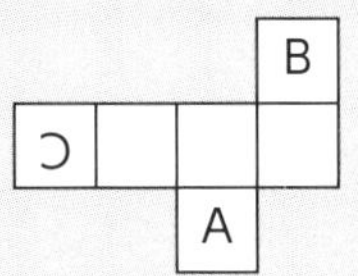

【特別区】

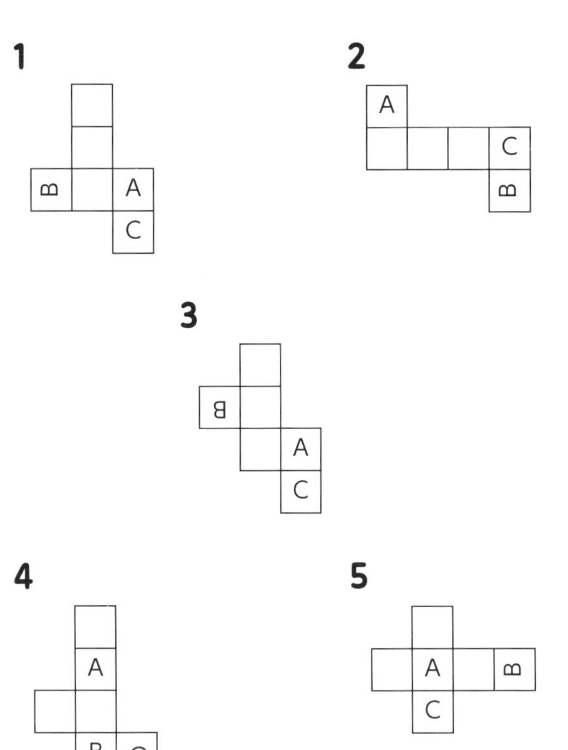

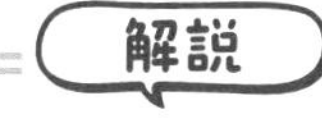

正答 3

STEP 1

問題で与えられた展開図上での90°の部分を中心に面を移動させて，A，B，C の面を１列に並べると図Ⅰのようになる。

図Ⅰ

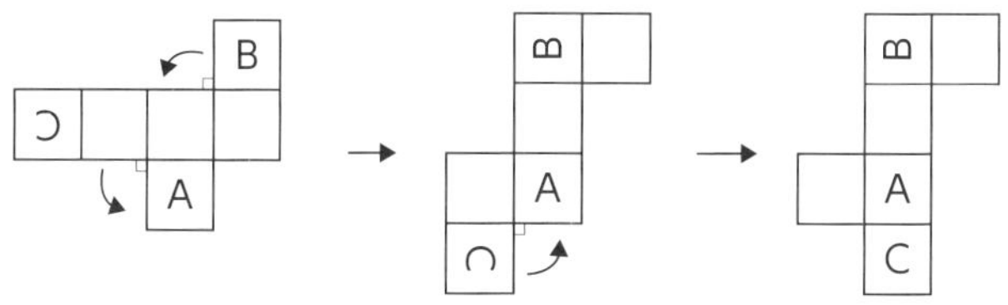

STEP 2

選択肢の展開図を同様に移動させると図Ⅱのようになる。

図Ⅱ

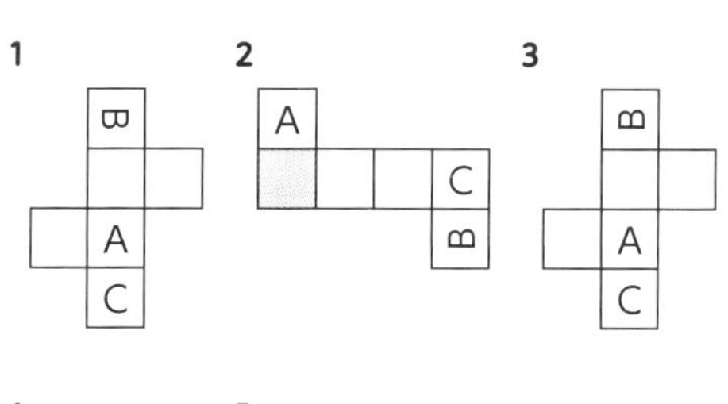

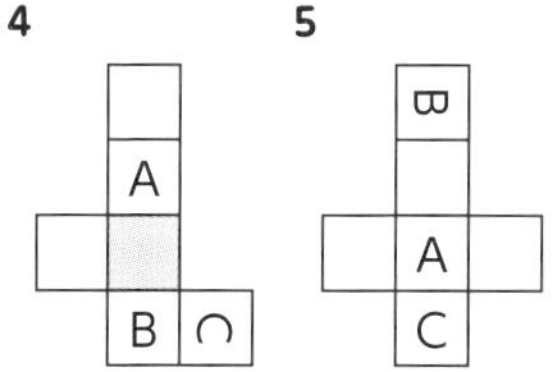

❶，❺ × Bの向きが異なっている。

❷，❹ × Aの下にCがないため，一致しない（図Ⅱで灰色の部分）。

❸ ○ 一致する

厳選問題

図Ⅰのように11枚の正三角形をつなげた図形がある。この図の三角形の辺の箇所を同じ角度で折り曲げて組み立てると図Ⅱのような正八面体を作ることができる。この正八面体のうち3面は2つの三角形が重なる。その重なる三角形の組合せとして正しいのは次のうちどれか。

【地方上級】

図Ⅰ

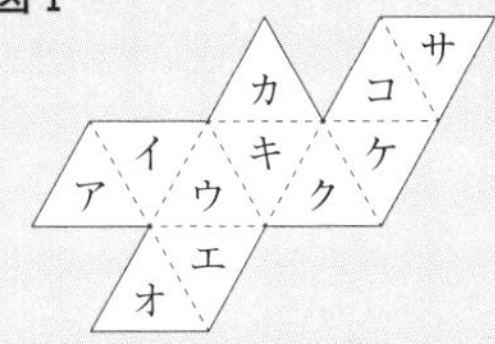

図Ⅱ

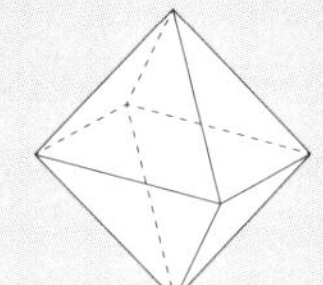

1 アとカ

2 イとサ

3 エとコ

4 エとサ

5 オとク

解説

正答 2

STEP1

正八面体の展開図では，連続する4面の両端は組み立てた際に平行な面になる。また，平行面は必ず1組ずつしかなく，展開図上で「平行な面の平行な面」は重なることになる。

STEP 2

たとえばアの面は，キの面と平行となるが，キの面はオの面と平行となる。よって，アとオの面は重なることになる。

このように考えると，イの面とクの面も平行で，クの面とサの面も平行なのでイの面とサの面は重なることになる。

また，展開図を下図のように変形すると，カの面とエの面が平行で，エの面とコの面が平行なのでカの面とコの面も重なることになる。

STEP 3

このことから，重なる3面の組み合わせはアとオ，イとサ，カとコとなる。

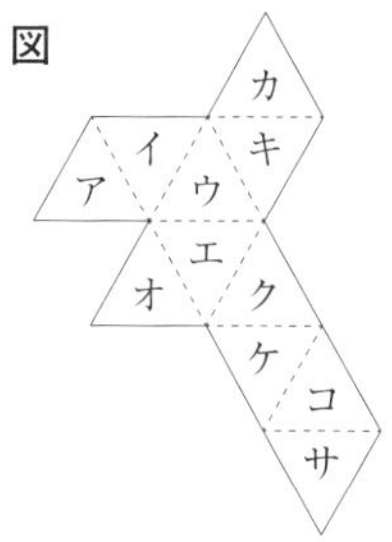

もう1点GET +α

飽和点

立方体の頂点に着目すると，１つの頂点に３つの面が接している点がある。展開図上で３つの面がすでに接している点を**飽和点**と呼び，飽和点のまわりの面は展開図上で回転させると，組み立てたときに同じ立方体となる。

14章 判断推理 38 展開図

39 速さ

超約 ここだけ押さえよう！

① 旅人算

・2つのものが同方向に進んで（一方が片方を）追い越すとき→**速さの差**

・2つのものが**逆方向に進んですれ違うとき**→**速さの和**

例題 Aの速さを秒速3m，Bの速さを秒速5mとする。

（1）直線上のコースをAが出発して10秒後にBが**同じ地点から同方向に**出発する。BがAに追いつくのは何秒後か。

（2）800mの直線のコースをAとBがそれぞれ両端から**逆方向**に出発すると，2人が出会うのは何秒後か。

（1）**30÷(5−3)＝15** A.15秒後

（2）**800÷(5+3)＝100** A.100秒後

知って得する！

円形のコースで速いほうが遅いほうに追いつく場合

→速いほうの移動距離−遅いほうの移動距離＝**コース1周分**となる。
速いほうが**1周余分に走って**，遅いほうの**背中をタッチした**と考える。

② 通過算

・電車がトンネルに**先頭が入ってから完全に出るまで**の移動距離
→**トンネルの長さ＋電車の長さ**

・電車がトンネルに**完全に入ってから先頭が出るまで**の移動距離
　→**トンネルの長さ－電車の長さ**

＼知って得する！／

車と電車がすれ違うパターンの問題は，よく「車の長さは考えなくてよい」と記されている。よって両者がすれ違う際の移動距離は**電車の長さのみとなる。**

ここだけ
③ 流水算

・流れに沿うとき→速さの和
・流れに逆らうとき→速さの差

例題　1,000mの川があり，船の速さは秒速５m，川の流速は秒速３mとする。
（１）上流から下流に向かって船が下るとき，何秒かかるか。
（２）下流から上流に向かって船が上るとき，何秒かかるか。

（１）**1000÷(5＋3)＝125**　　**A.125秒**

（２）**1000÷(5－3)＝500**　　**A.500秒**

ここだけ
④ 速さと比

・同一時間で移動するとき→速さの比＝距離の比
・同一距離を移動するとき→速さの比＝時間の逆比

＼知って得する！／

旅人算の問題文中で特に「**追いついた**」「**出会った**」という言葉があれば，その瞬間に**同一地点**にいることがわかる。
その条件から速さの比を求め，解き進める。

厳選問題

長さ90m の２つの列車Ａ，Ｂがある。ＡとＢが一定の速さで反対方向に走ってすれ違うとき，２つの列車の先頭がすれ違い始めてから列車の最後尾がすれ違い終わるまで６秒かかった。Ｂの速さはＡの速さの1.5倍であったとすると，Ａの速さは秒速何メートルか。

【地方上級】

1 秒速８m

2 秒速10m

3 秒速12m

4 秒速14m

5 秒速16m

解説

正答 3

STEP 1

Aの速さを毎秒am，Bの速さを毎秒1.5amとする。

STEP 2

列車のすれ違いは，すれ違うときも追い抜くときも列車の移動距離は２つの列車の長さの和になることに注意し，旅人算を用いると以下の式を作ることができる。

$90+90=(a+1.5a)\times 6$

$180=15a$

$a=12$

よって，Aの速さは毎秒12mとわかる。

列車のすれ違いの問題はその移動距離を想像して求めることは難しいため，

必ず列車の移動距離は２つの列車の長さの和になる

ということを覚えておくとスムーズに解くことができる。

厳選問題

A，Bの２人が，スタートから20km走ったところで折り返し，同じ道を戻ってゴールする40kmのロードレースに参加した。今，レースの経過について，次のア〜ウのことがわかっているとき，Aがゴールするまでに要した時間はどれか。ただし，レースに参加したすべての選手は同時にスタートし，ゴールまでそれぞれ一定の速さで走ったものとする。　【特別区】

ア　Aは，15km走ったところで先頭の選手とすれ違った。
イ　Aが12km走る間に，Bは10km走った。
ウ　Bは，先頭の選手がゴールしてから２時間後にゴールした。

1　２時間

2　２時間40分

3　３時間20分

4　３時間40分

5　４時間

解説

正答 3

STEP 1

アの条件から，Aが15km走っている間に，先頭の選手は25km走っていることになるので２人の速さの比はA:先頭＝15:25＝3:5となる。

イの条件から，AとBの速さの比も同様にA:B＝12:10＝6:5となる。

STEP 2

２つの比をつなげ３人の速さの比を求めると以下のようになる。

A:B:先頭＝6:5:10

また，先頭の選手がゴールするまでに要した時間を x 時間とすると，ウの条件からBがゴールするまでに要した時間は $(x+2)$ 時間となる。

速さの比の逆比が時間の比となることに注意し，先頭の選手とBのゴールに要する時間の比を作ると以下のようになる。

B:先頭＝$x:(x+2)$＝5:10

この比を解くと，$x=2$となるので，先頭の選手がゴールに要した時間は2時間とわかる。

STEP 3

Aのゴールに要する時間を a とおくと，Aと先頭の選手のゴールに要するまでの時間の比は以下のようになる。

A:先頭＝a:2＝10:6

この比を解くと $a=\frac{10}{3}$ となり，3時間20分とわかる。

1問1答

Aは50m/分で泳ぎ，Bは30m/分で泳ぐ。Aが30分かかって泳ぐ距離をBは何分で泳ぐか。

正解 50分　AとBの速さの比は50：30＝5：3 なので，かかる時間の比はその逆比で3：5となる。

厳選問題

ある川の上流にあるＰ地点と下流にあるＱ地点を船が往復している。この川をＱからＰへ上る時間は，ＰからＱへ下る時間の５倍かかった。このとき，船の速さは川の流れる速さの何倍か。

【地方上級】

1　1.5倍

2　2.0倍

3　2.5倍

4　3.0倍

5　3.5倍

解説

正答 1

STEP 1

静水時での船の速さを x，川の流れの速さを yと置くと，下りの速さは $x+y$，上りの速さは $x-y$ となる。

STEP 2

下りの時間を t，上りの時間を5tと置く。上りも下りもPQ間なので同じ距離である。

よって，

距離を l とすると

$l=(x+y)\times t$　…①(下りの式)

$l=(x-y)\times 5t$　…②(上りの式)

①と②から l を消去すると，

$2x=3y$

$x=1.5y$

となる。

これより，船の速さ xは，川の流れる速さ yの1.5倍とわかる。

もう1点GET +α

流水算

流れに沿うときの速さと，流れに逆らうときの速さの平均は，移動しているものの速さとなり，そこから流れの速さも求めることができる。

1,000mの川があり，船の速さが秒速５m，川の流れが秒速３mの場合

船の下りの速さ→秒速8(＝5＋3)〔m〕

船の上りの速さ→秒速2(＝5－3)〔m〕　となる。

よって，

下りと上りの速さの平均：秒速５m→船の速さ

下りと上りの速さの差：秒速３m→川の流れの速さ　となる。

40 平面図形・立体図形

超約 ここだけ押さえよう！

ここだけ① 四角形でよく使う法則

平行四辺形	対角線が各々の中点で交わる	
ひし形	対角線が直角に交わる。 面積＝対角線×対角線÷2	
長方形	対角線の長さが等しい	

ここだけ② 三角形でよく使う法則

二等辺三角形	頂角の角の二等分線は，底辺を垂直二等分する	
正三角形	面積＝(一辺の長さの半分)^2×$\sqrt{3}$ $=\frac{\sqrt{3}}{4}a^2$	a
重心(各頂点から各辺の中点に引いた線分の交点)	各中線を2：1に内分する	
内心(内接円の中心)	各辺までの距離が等しい	
外心(外接円の中心)	各頂点までの距離が等しい	

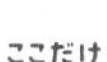

③ 線分比と面積比

三角形 S_1と三角形 S_2は高さが等しいので，底辺の線分比 $p:q$ が三角形 S_1と三角形 S_2の面積比になる。

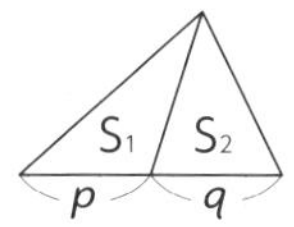

＼知って得する！／

キュッキュの公式

右の図において，面積 S は元の三角形から

左の辺が$\frac{2}{5}$にキュッ，右の辺が$\frac{1}{2}$にキュと

短くなっているので，

S＝元の三角形の面積×$\frac{2}{5}$×$\frac{1}{2}$　で表すことができる。

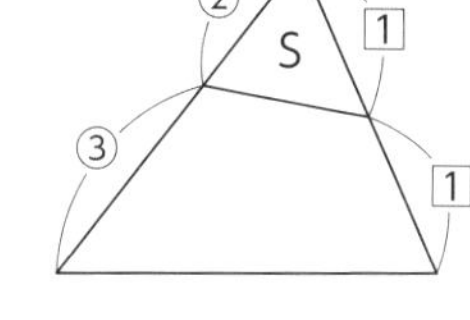

④ 円でよく使う法則

（1）円と接線の公式

円外の１点から円に引いた２本の接線において，

①接線の長さは等しい。PA＝PB

②接線と接点を通る半径は垂直になる。

∠PAO＝∠PBO＝90°

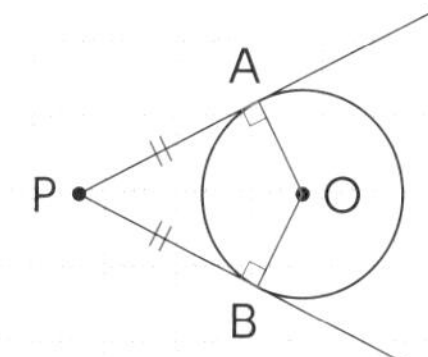

（2）接弦定理

接線と接点を通る弦のなす角度は，その弦の内部にある弧に対する円周角に等しい。

右図においては∠a＝∠x となる。

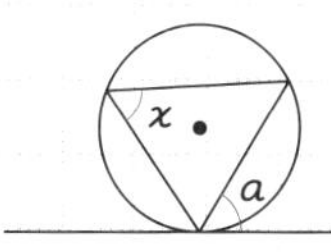

＼知って得する！／

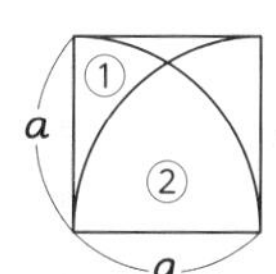

このような正方形と円弧で囲まれた面積は

① $\frac{a^2}{12}(3\sqrt{3}-\pi)$

② $\frac{a^2}{12}(4\pi-3\sqrt{3})$で求めることができる！

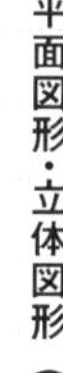

厳選問題

下の図のように，四角形 ABCD は，線分 AE，BE，CE，DE によって４つの三角形に分割されており，AE＝CE＝２，AD＝４，BE=5，∠AEB＝∠DAE＝∠CED=90°であるとき三角形 BCE の面積として，正しいのはどれか。【東京都】

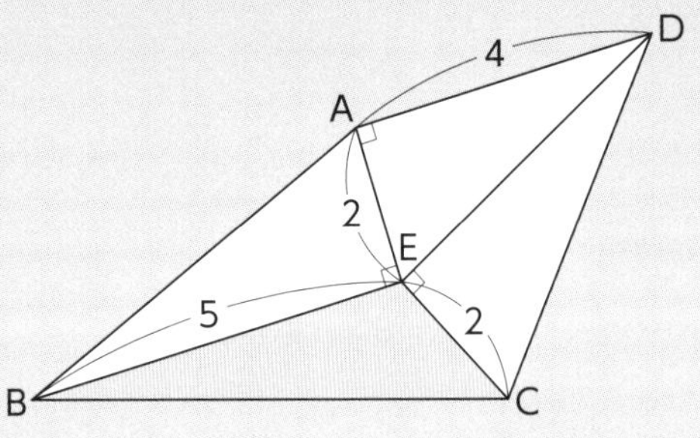

1　$2\sqrt{3}$

2　$2\sqrt{5}$

3　$3\sqrt{3}$

4　$3\sqrt{5}$

5　$4\sqrt{5}$

解説

正答 2

STEP 1

下の図のように，辺 BE を延長し，C から引いた垂線との交点を F とする。

△ADEと△FCE は，∠DAE＝∠CFE＝90°　…①

∠AED＝90°－∠DEF

∠FEC＝90°－∠DEF'

よって∠AED＝∠FEC　…②

よって，2組の角が等しいので，△ADE と △FCE は相似である。

STEP 2

AE＝2，AD＝4より，△ADE は，3辺の比が 1：2：$\sqrt{5}$ の直角三角形であり，△FCE も同様である。

したがって，辺 FC＝$\frac{4}{\sqrt{5}}=\frac{4\sqrt{5}}{5}$となるので，△BCE＝BE×FC×$\frac{1}{2}$＝ $2\sqrt{5}$

である。

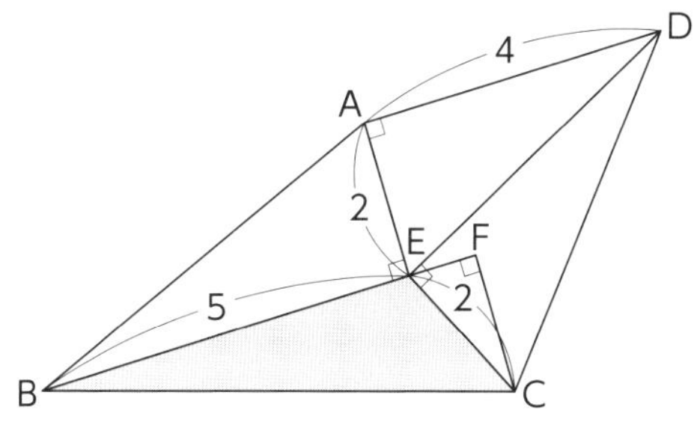

もう1点GET ＋α　直角三角形の辺の比

❶1:1:$\sqrt{2}$

❷1:2:$\sqrt{3}$

❸3:4:5

❹5:12:13

これらの比は頻出。相似や合同の三角形を見つけやすくなるので，覚えておくとよい。❷のみ，真ん中の2が斜辺に相当することに注意。

厳選問題

下の図のような台形の高さ h として，正しいのはどれか。

【東京都】

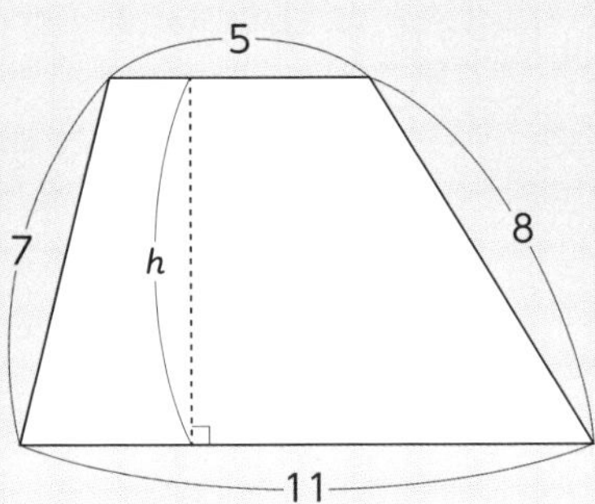

1　$\dfrac{7\sqrt{3}}{2}$

2　$\dfrac{7\sqrt{15}}{4}$

3　$\dfrac{3\sqrt{21}}{2}$

4　$\dfrac{5\sqrt{39}}{4}$

5　$\dfrac{3\sqrt{30}}{2}$

解説

正答 2

STEP 1

問題図の台形から，図Ⅰにおける斜線部分の長方形を取り除くと，図Ⅱの△ABCとなり，AH$=h$ である。

STEP 2

ここで，BH$=x$ とすると，CH$=(6-x)$ である。

△ABHから$AH^2=AB^2-BH^2$，△ACHから$AH^2=AC^2-CH^2$なので，$AB^2-BH^2=AC^2-CH^2$

$7^2-x^2=8^2-(6-x)^2$，$49-x^2=64-(36-12x+x^2)$，$49-x^2=28+12x-x^2$

$12x=21$，$x=\dfrac{7}{4}$となる。

STEP 3

△ABHより，$h=\sqrt{(7^2-\left(\dfrac{7}{4}\right)^2}=\sqrt{49-\dfrac{49}{16}}=\sqrt{\dfrac{49\times16-49}{16}}=\sqrt{\dfrac{49\times(16-1)}{16}}$

$=\dfrac{\sqrt{49\times15}}{4}=\dfrac{7\sqrt{15}}{4}$となる。

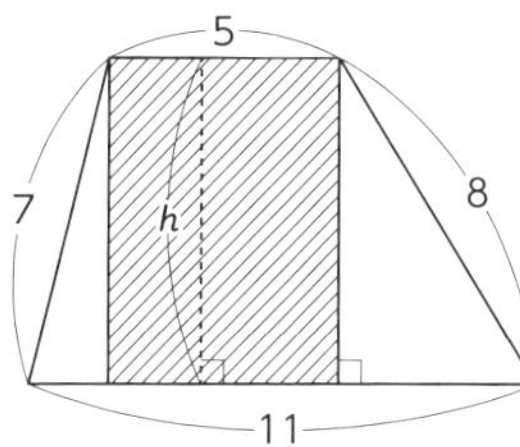

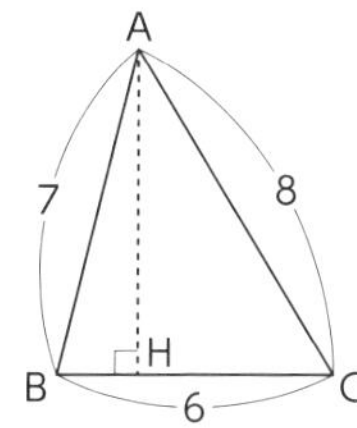

もう1点GET +α

台形の面積の性質

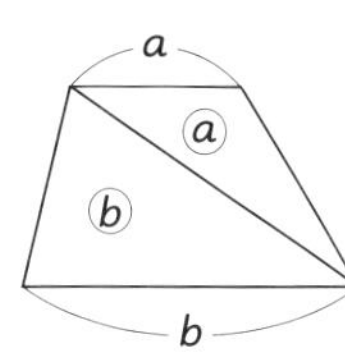

上底と下底の比が，そのまま各三角形の面積比になる。

a：b＝ⓐの面積：ⓑの面積

厳選問題

一辺の長さが２の正六面体(Ⅰa)と正八面体(Ⅱa)がある。各頂点に集まってくる辺の中点を通る平面で切り落として，立体Ⅰbと立体Ⅱbを作った。このとき，ⅠbとⅡbの表面積をそれぞれX，Yとすると，XとYの比の組合せとして正しいものはどれか。

【地方上級】

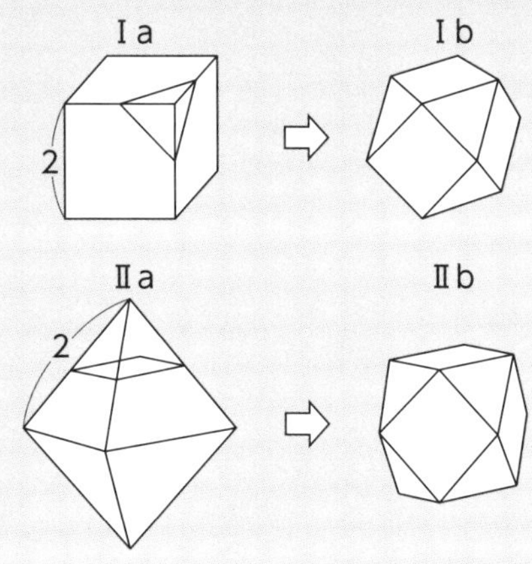

X：Y

1 4：3

2 3：2

3 2：1

4 5：2

5 4：1

解説

正答 3

STEP 1

Ⅰbに一辺の長さを記入すると図のようになる。

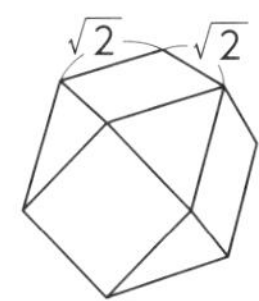

STEP 2

面積Xは一辺の長さが$\sqrt{2}$の正方形が6個と，一辺の長さが$\sqrt{2}$の正三角形8個の和になる。よって，

$X=(\sqrt{2})^2\times6+\left(\frac{\sqrt{2}}{2}\right)^2\times\sqrt{3}\times8$

$=12+4\sqrt{3}$

Ⅱbに一辺の長さを記入すると図のようになる。

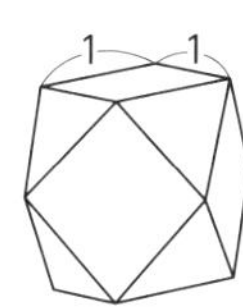

STEP 3

面積Yは一辺の長さが1の正方形が6個と，一辺の長さが1の正三角形8個の和になる。

$Y=(1)^2\times6+1\left(\frac{1}{2}\right)^2\times\sqrt{3}\times8$

$=6+2\sqrt{3}$

STEP 4

以上より，面積比は，

$X:Y=(12+4\sqrt{3}):(6+2\sqrt{3})$

$=2(6+2\sqrt{3}):(6+2\sqrt{3})$

$=2:1$

となる。

41 割合・平均

超約 ここだけ押さえよう！

ここだけ① 濃度算

・濃度＝$\frac{溶質の重さ}{全体の重さ}\times 100$

・溶質の重さ＝全体の重さ×$\frac{濃度}{100}$

例題 濃度６％の食塩水300gと濃度10％の食塩水100gを混ぜると濃度は何％になるか。

→溶質の重さ（食塩の重さ）は　$300〔g〕\times\frac{6}{100}+100〔g〕\times\frac{10}{100}=$ 28〔g〕となる。全体の重さは300g＋100g＝400gなので求める濃度は$\frac{28}{400}\times 100=7$

A.7％

てんびん算

濃度４％の食塩水200gと濃度９％の食塩水300gを混ぜたときの濃度 x は以下のような図で考えることができる。

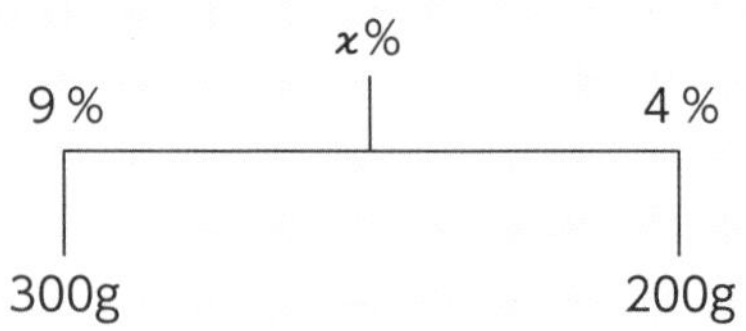

ここで，**$(9-x)\times 300=(x-4)\times 200$**という等式が成立し，$x=7$とすぐに

求められる。溶質の重さの計算や複雑な濃度の計算が必要ないので，マスターしておこう。

＼知って得する！／

複雑な問題になってくると「蒸発」や「濃縮」という単語が出てくることがある。いずれも**水分（溶媒）だけがなくなる**ということを理解しておこう。

ここだけ

② 利益算

- **定価＝原価×（1＋利益の割合）**
- **売価＝定価×（1－割引率）**
- **利益＝売値－原価**

原価400円の商品に25%の利益を見込んで定価をつけたが，売れなかったため，１割引きで販売したところ，売れた。利益はいくらか。

→定価：500円
売価：450円
利益：450－400＝50円

A.50円

ここだけ

③ 平均算

- **平均＝合計÷個数**
- **個数＝合計÷平均**
- **合計＝平均×個数**

＼知って得する！／

いくつかの数値があり，その平均がxより大きいか小さいかを求めるには，それぞれの数値とxとの差をすべて合計し，合計の符号が＋なら**平均＞x**，－なら**平均＜x**，±０なら**平均＝x**，という関係が成立する。

厳選問題

ある商品を400個仕入れ，原価に対し５割の利益を上乗せして定価とし，販売を始めた。ちょうど300個が売れた時点で，売れ残りが生じると思われたので，定価の４割引きで売ったところ，売り切れた。全体としては，売上総額から仕入れ総額を引いた利益が42,000円であった。このとき，原価はいくらか。　【市役所】

1　200円

2　300円

3　400円

4　500円

5　600円

解説

正答 **2**

STEP 1

原価を x〔円〕とする。

定価は$1.5x$〔円〕で，定価の４割引きは$1.5x\times(1-0.4)=0.9x$〔円〕となる。

これより，定価で１個売ったときは$1.5x-x=0.5x$〔円〕の利益で，４割引きで売ったときは$0.9-x=-0.1x$〔円〕となる。

STEP 2

定価で300個，４割引きで100個売ったので，利益に関して次の式を作ることができる。

$0.5x\times300-0.1x\times100=42000$

$140x=42000$

$x=300$

したがって，原価は300円である。

複雑な問題では，何度も値下げを行うことがある。その際は以下のような表を書き，計算ミスのないように工夫しよう。

	原価	定価	売価１	売価２
料金				
個数				

厳選問題

ある試験では合格者の平均点が62点，不合格者の平均点が42点，受験者全体の平均点が46点であった。このとき，この試験の合格率は何%だったか。　【地方上級】

1　15%

2　18%

3　20%

4　22%

5　25%

解説

正答 3

STEP 1

合格者の数を a 人，不合格者の数を b 人とする。

受験者全体の平均点が46点なので，

$$\frac{62a+42b}{a+b}=46$$

$b=4a$

となる。

STEP 2

全体の人数は $a+b=a+4a=5a$〔人〕となり，そのうち合格者は a〔人〕なので，合格率は $\frac{a}{5a}=0.2$，すなわち20%となる。

もう1点GET +α

合格者の平均

今回の問題はてんびん算で解くことができる。

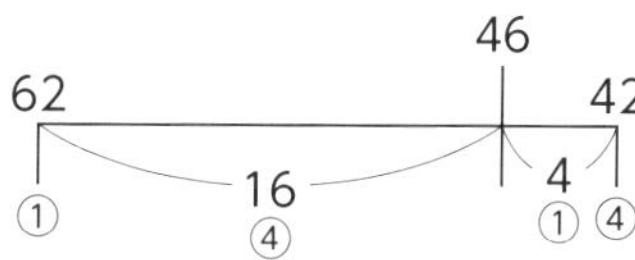

合格者の平均点－全体の平均点＝16点

全体の平均点－不合格者の平均点＝４点

この点数の比が４：１となっており，ここから $\frac{1}{4+1}=\frac{1}{5}=0.2=20\%$ と求めることができる。

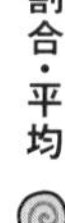

厳選問題

濃度の異なる食塩水Aと食塩水Bがある。食塩水Aと食塩水Bを質量比1:1で混ぜると，食塩水の濃度は4.5%となった。また，食塩水Aと食塩水Bを質量比1:4で混ぜると，食塩水の濃度は5.1%となった。このとき，食塩水Aの濃度として正しいのはどれか。

【地方上級】

1　2.7%

2　3.0%

3　3.5%

4　3.9%

5　4.2%

解説

正答 3

STEP 1

Aの濃度を a %，Bの濃度を b %とすると，1:1で混ぜたときの天びん図は図Ⅰのようになり，次の式ができる。

$(b-4.5)\times 1=(4.5-a)\times 1$

$a+b=9$ …①

STEP 2

同様に，1:4で混ぜたときの天びん図は図Ⅱのようになり，次の式ができる。

$(b-5.1)\times 4=(5.1-a)\times 1$

$a+4b=25.5$ …②

STEP 3

①と②から連立方程式を解くと $a=3.5$ となる。

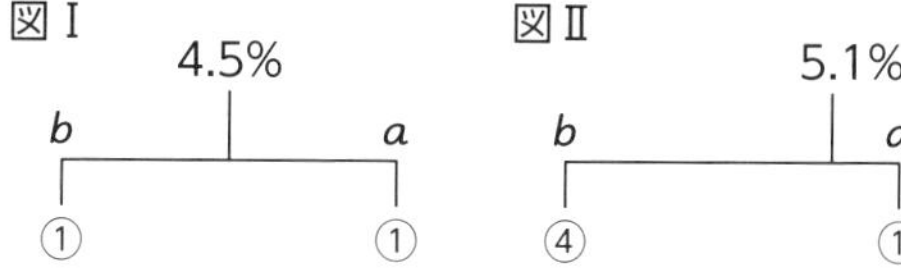

てんびん算の原理は以下のとおりである。

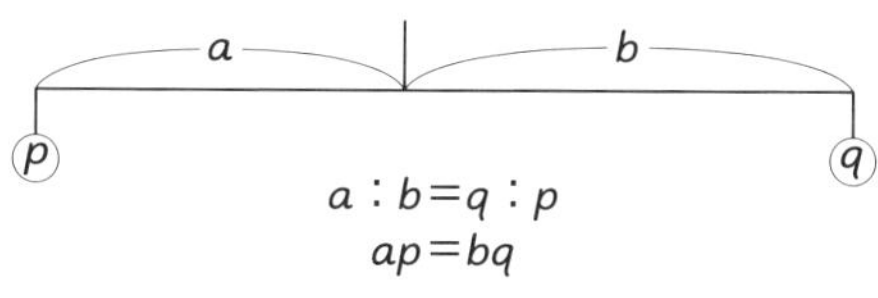

$a : b = q : p$

$ap = bq$

15章 数的推理

41 割合・平均

42 場合の数と確率

超約 ここだけ押さえよう！

ここだけ① 場合の数

・区別
- ある――順列→P（異なるn個の中から異なるr個を取り出して並べるときの並べ方）
- ない――組合せ→C（異なるn個の中から異なるr個を取り出してできる組合せ）

例題 1，2，3，4，5の中から1つずつ使い3桁の整数を作る。何通り存在するか。

→このとき，たとえば同じ1，2，3を使ったとしても123，132，213，231などは，それぞれ異なるもの。その際はPを使う。

$_5P_3 = 5 \times 4 \times 3 = 60$

A.60通り

例題 A，B，C，D，Eの5人の中から2人のリーダーを選ぶ。選び方は何通り存在するか。

→このとき，「AとBがリーダー」と「BとAがリーダー」は同じ意味である。AとB，BとAに区別がないので，Cを使う。

$_5C_3 = \frac{5 \times 4}{2 \times 1} = 10$

A.10通り

ここだけ
② 並べ替え

たとえば，５個すべてを並べる場合の数は$_5P_5$となり，５から１まで掛け下げる。これを5!と表し，$5\times4\times3\times2\times1=120$〔通り〕となる。
n 個のものをすべて並べる場合の数は，

$n!={}_nP_n=n\times(n-1)\times(n-2)\times\cdots\times1$

ここだけ
③ 円順列

n 個のものを円形に並べるときの場合の数は，$(n-1)!$で求められる。

ここだけ
④ じゅず順列

n 個のものをじゅずやネックレスのような裏返しにできる形に並べる場合，円順列の半分になり，$(n-1)!\div2$通りとなる。

ここだけ
⑤ 同じものを含む順列

n 個のものの中に同じものが p 個含まれている場合の数は $\dfrac{n!}{p!}$ 通りとなる。

＼知って得する！／

$_nC_r={}_nC_{n-r}$が成立する。たとえば$_5C_2={}_5C_{5-2}={}_5C_3$となる。
これは，「５個の中から２個選ぶ」($_5C_2$)ということは「５個の中から３個選ばない」($_5C_3$)といい換えられるからである。

ここだけ
⑥ 確率

$$確率=\frac{そのことがらが起こる場合の数}{全通り}$$

濃度＝$\dfrac{溶質(一部)}{溶液(全体)}$なので，
濃度の計算と似ているね！

15章 数的推理
42 場合の数と確率

厳選問題

TOKUBETU の８文字を並べるとき，２つのＴの間に他の文字が１つ以上入る並べ方は何通りあるか。 【特別区】

1 1,260通り

2 2,520通り

3 7,560通り

4 8,820通り

5 10,080 通り

解説

正答 3

「TOKUBETU」の８文字を１列に並べると，ＴとＵは２回ずつ使われるので，全部で，

$$\frac{8!}{2!\times 2!}=10080$$〔通り〕

ある。

このうち，Ｔの２文字が連続して並ぶ（２つのＴの間に他の文字が１文字も入らない)のは，連続するＴの２文字を１文字として考えればよいから，

$7!\div 2!=2520$〔通り〕

である。

この2520通り以外は２つのＴの間に他の文字が１つ以上入るのだから，

$10080-2520=7560$〔通り〕

である。

もう１点GET +α

同じものを含む順列

同じものを含む順列の公式を利用するときは，今回の問題のように，そのすべてを並べる場合にしか使えない。

「いくつか抜き出して並べる」のような問題には使えないので，注意しよう。

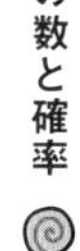

厳選問題

ある卓球大会の決勝戦でAチームとBチームが試合をし，先に3勝したチームが優勝することになっている。1回の試合でAチームが勝つ確率を $\frac{1}{4}$，Bチームが勝つ確率を $\frac{3}{4}$ とするとき，Aチームが優勝する確率として，正しいのはどれか。 【東京都】

1 $\frac{53}{512}$

2 $\frac{7}{64}$

3 $\frac{15}{128}$

4 $\frac{31}{256}$

5 $\frac{1}{8}$

解説

正答 1

STEP 1

Aが先に３勝する場合を考えると

①３回戦目でAが３勝する場合

②４回戦目でAが３勝する場合

③５回戦目でAが３勝する場合　の３パターンが考えられる。

STEP 2

①３回戦目でAが３勝する場合

これは，Aがストレートに３連勝する確率なので$\left(\frac{1}{4}\right)^3=\frac{1}{64}$となる。

②４回戦目でAが３勝する場合

これは，３回戦目の終了時に，Aの戦績が２勝１敗で，４回戦目でAが勝利すればよい。

３回戦目の終了時にAの戦績が２勝１敗となるのは３パターン（1～3回戦目のどこで負けるか）存在するので求める確率は$\left(\frac{1}{4}\right)^2\times\frac{3}{4}\times\frac{1}{4}\times3=\frac{9}{256}$となる。

③５回戦目でAが３勝する場合

②と同様に考えると，４回戦目の終了時にAが２勝２敗となるのは６パターン存在するので，求める確率は$\left(\frac{1}{4}\right)^2\times\left(\frac{3}{4}\right)^2\times\frac{1}{4}\times6=\frac{27}{512}$となる。

STEP 3

これらの確率の和は$\frac{53}{512}$となる。

１問１答

６人の中から２人選ぶとき，AかBが含まれる確率はいくらか。

正解 $\frac{3}{5}$

まず，確率の分母と分子を一気に考えるのではなく，それぞれ考えていく。

すべての組合せ⇒${}_6C_2=\frac{6\times5}{2\times1}=15$〔通り〕

次に，そのことがらが起こる場合の数を考える。全体の15通りから，「AとB以外の４人から２人選ぶ場合の数」を引いて求める（余事象）。

${}_4C_2=\frac{4\times3}{2\times1}=6$〔通り〕　$15-6=9$〔通り〕

よって，求める確率は$\frac{9}{15}=\frac{3}{5}$

厳選問題

ある箱の中に，赤色のコインが５枚，黄色のコインが４枚，青色のコインが３枚入っている。今，この箱の中から同時に３枚のコインを取り出すとき，２枚だけ同じ色になる確率はどれか。

【特別区】

1 $\frac{36}{55}$

2 $\frac{29}{44}$

3 $\frac{73}{110}$

4 $\frac{147}{220}$

5 $\frac{15}{22}$

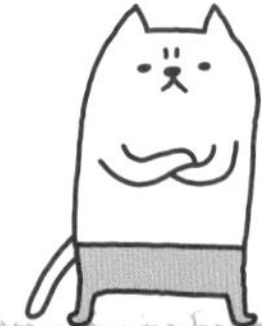

解説

正答 2

STEP 1

赤2枚と黄色または青色が1枚となるのは，赤2枚については5枚の中から2枚を選ぶ組合せ，黄色または青色から1枚を選ぶのは7通りなので，

$${}_5C_2\times(4+3)=\frac{5\times4}{2\times1}\times7=70〔通り〕$$

STEP 2

同様に黄色が2枚となるのは，

$${}_4C_2\times(5+3)=\frac{4\times3}{2\times1}\times8=48〔通り〕$$

より，48通り，青色が2枚となるのは，

${}_3C_2\times(5+4)={}_3C_1\times(5+4)=3\times9=27〔通り〕$

より，27通りとなり，全部で，

$70+48+27=145〔通り〕$

STEP 3

12枚のコインの中から3枚を選ぶ組合せは，

$${}_{12}C_3=\frac{12\times11\times10}{3\times2\times1}=220〔通り〕$$

したがって 求める確率は，$\frac{145}{220}=\frac{29}{44}$

もう1点GET +α 余事象

上記の問題が「2枚以上同じ色になる確率」を求める場合，余事象で求めることができる。

12枚のコインから3枚を取り出すとき，

❶3枚ともバラバラ
❷2枚が同じ色
❸3枚とも同じ色

の3パターンがある。どのように計算するのが一番速いのかを考える習慣をつけよう。

43 仕事算・ニュートン算

ランク B

超約 ここだけ押さえよう！

ここだけ① 仕事算

・全体量を1と置く。
・最小単位の仕事率を考える。
・残りの仕事量÷仕事率＝かかる時間(日数)
で求める。

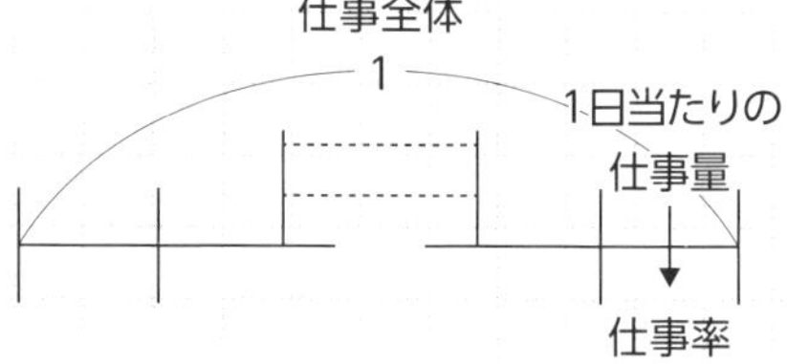

例題 Aが1人で行うと6日間，Bが1人で行うと12日間かかる仕事を2人で行うと何日かかるか。

仕事全体を1と考えると，Aは**1日で全体の$\frac{1}{6}$**の仕事をする。同様に，Bは1日で$\frac{1}{12}$の仕事をする。

2人で行うので，$\frac{1}{6}+\frac{1}{12}=\frac{1}{4}$となる。

よって，この仕事を2人で行うと$1\div\frac{1}{4}=4$

A.4日間

知って得する！

たとえば，問題文で「Aが1人で行うと2時間20分かかる」のように単位が混合して書かれている場合，ここだけ①にもある通り，**最小単位の仕事率を考えるのがよい。**この問題の場合は，2時間20分→140分と変換して考えよう！

近年一次試験で使われるSPIの分割払いの単元も，同様の考え方をするよ！

ここだけ

② ニュートン算

ニュートン算とは，減少量と増加量が一定の割合で同時に生じる計算である。

・もともとの量＝a，増加量＝b，減少量＝c，時間＝t とすると

$a+○\times b\times t=△\times c\times t$　（○，△には台数などが入る）

例題 毎分５人ずつ新しい人が並ぶ遊園地に開園前に30人並んでいたとする。開園後，入場ゲートが１つなら６分で列がなくなったとすると，入場ゲート２つなら何分で列がなくなるか。

もともとの量→30人，増加量→５人，減少量→c　とすると

$30+5\times 6=c\times 6$

$60=6c$

$c=10$

また，入場ゲートが2つになると

$30+5\times t=2\times 10\times t$

$15t=30$

$t=2$

A. 2分

＼知って得する！／

計算方法	状況	例
仕事算	一定の割合で量が減る問題	・水槽の水を排水管で抜く ・遊園地で開場前に並んでいるお客さんをいくつかのゲートで入場させる
ニュートン算	減る量と増える量が一定の割合で同時に生じる問題	・水槽の水を排水管で抜くが，同時に給水菅から水が入る ・遊園地で開場前に並んでいるお客さんをいくつかのゲートで入場させるが，一定時間に新たなお客さんが並ぶ

厳選問題

空の水槽があり，ホース A，B，C を用いて，この水槽に水をためる。ホースAのみを使用すると10分，ホースBのみを使用すると12分，ホースCのみを使用すると15分で水槽がいっぱいになる。
ホース A，B，Cの３つを同時に用いる場合には，この水槽をいっぱいにするのにかかる時間はいくらか。

【市役所】

1 3分

2 4分

3 5分

4 6分

5 7分

解説

正答 2

STEP 1

各ホースの１分当たりの仕事量を求める。全体の仕事量を１とすると，各ホースの１分当たりの仕事率は，ホースA が$\frac{1}{10}$，ホースBが$\frac{1}{12}$，ホースCが$\frac{1}{15}$となる。

STEP 2

この３つのホースを同時に使用すると，１分当たりの仕事率は，

$A+B+C=\frac{1}{10}+\frac{1}{12}+\frac{1}{15}=\frac{1}{4}$

である。

STEP 3

この３つのホースで１の仕事を終えるのに，$1\div\frac{1}{4}=4$〔分〕

かかることになる。

もう1点GET +α

仕事算

ホースで水を抜くときは「もともとの水の量」を１，
蛇口などで水を入れるときは「満タンの量」を１と置く。
問題によってスタートを１と置くかゴールを１と置くかが異なるので注意しよう。

厳選問題

　満水のタンクを空にするために，複数のポンプで同時に排水する。ポンプA，BおよびCでは16分，AとBでは24分，AとCでは30分かかる。今，BとCのポンプで排水するとき，排水にかかる時間はどれか。 【特別区】

1　18分

2　20分

3　24分

4　28分

5　32分

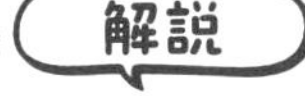

正答 2

STEP 1

タンク内の満水量を，16，24，30の最小公倍数である240とする。

ポンプA，BおよびCでは16分かかるので，１分間の排水量は，240÷16＝15である。

AとBでは24分かかるので，１分間の排水量は，240÷24＝10，AとCでは30分かかるので，１分間の排水量は，240÷30＝８である。

STEP 2

ポンプA，BおよびCで１分間に15だけ排水し，AとBでは１分間に10だけ排水するので，Cが１分間に排水する量は15－10＝５，AとCでは１分間に８だけ排水するので，Bが１分間に排水する量は15－8＝7 である。

STEP 3

つまり，BとCのポンプで排水すると，１分間に７+５＝12だけ排水する。ここから，排水にかかる時間は，240÷12＝20より，20分である。

もう１点GET ＋α

仕事算

今回のように,「それぞれのポンプで〇分かかる」と示されている問題は満タンの量を「**それぞれのかかる時間の最小公倍数**」にすると解きやすい。

厳選問題

常に一定の割合で水の流れ込んでいる水槽がある。あるポンプ1台を使って満水の水槽を空にするのに10分かかり，同じ性能のポンプ2台を使って満水の水槽を空にするのに4分かかる。ポンプを使用せず，この水槽を空の状態から流れ込んでいる水で満水にするには何分かかるか。 【地方上級】

1 12分

2 14分

3 16分

4 18分

5 20分

正答 5

STEP 1

ニュートン算の公式にあてはめて考える。

満水の状態の水の量を a，一定の割合で1分間に流れ込む水の量を b，ポンプ1台が1分間に排水する量を c，とすると，以下の式ができる。

$a+b\times10=c\times10$　　$a+10b=10c$　…　①

$a+b\times4=c\times4\times2$　　$a+4b=8c$　…　②

STEP 2

空の状態の水槽を，流れ込んでいる水で満水にするのにかかる時間は，$\frac{a}{b}$ で求めることができるので，①，②の式から求めていく。

①×4－②×5で c を消去すると，以下のようになる。

$-a+20b=0$

$-a=-20b$

$a=20b$

$\frac{a}{b}=20$

よって，満水になるには20分かかることになる。

44 実数

超約 ここだけ押さえよう！

ここだけ① 概数

資料解釈の問題を解く際に大切なことは，「**細かい計算をしすぎない**」こと。多くの問題では，「**有効数字３ケタ（4ケタ目を四捨五入）**」で計算することで正答を導ける。

たとえば，17,768,213という数字が表中にあったとすると，17,768,213→17,800,000として計算する。

「資料を見て解釈する問題」ということを意識しよう！

ここだけ② 指数

資料解釈の問題の中で出てくる「**指数**」という言葉は，梅雨の時期に使われる「不快指数」のように，**%と同じ意味で使われる**。

例：120を指数100とすると，144は指数120

→120を100%と置くと，144は144÷120＝1.2＝120%→指数120

ここだけ③ 対前年○○率

資料解釈の問題の中で出てくる「対前年○○率（○○には増加か減少が入る）」は次の式で求められる。

$$\rightarrow \frac{\text{大きい値}-\text{小さい値}}{\text{前年}}$$

2020年の身長が148.2cmで，2021年の身長が152.8cmだとすると，対前年増加率は何%か。

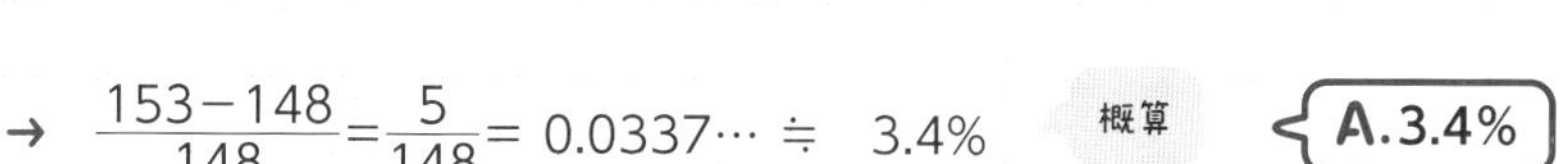

例題 2020年の体重が49.8kgで，2021年の体重が45.2kgだとすると，対前年減少率は何%か。

→ $\frac{49.8-45.2}{49.8}=\frac{4.6}{49.8}=0.0923\cdots\fallingdotseq\ 9.2\%$

A.9.2%

ここだけ

④ 計算のコツ

概数で計算する際，以下のようにやり方を覚えておくと計算が簡単になる。

×５の式 元の数字を半分にして０を１個つける	40×５＝200の場合 40÷２＝20 に０を１個つけて200
×1.5の式 元の数字にその半分を足す	246×1.5＝369の場合 246＋123＝369
×0.9の式 元の数字から小数点を１つ左にずらしたものを引く	420×0.9＝378の場合 420の少数点を１つ左にずらすと42なので，420—42＝378
分数の大小 分母は大きければ大きいほど，分子は小さければ小さいほどその値は小さくなる	$\frac{13}{331}$と$\frac{11}{339}$の大小を比べる場合$\frac{11}{339}$のほうが分母が大きく，分子が小さいので，値は小さい

＼知って得する！／

「×５の式」の応用

この方法だと25倍の計算も速くできるよ。

16×25＝400の場合

16×５×５と分解し，16を２回半分にする(16→８→４)→０を２個つけて400

厳選問題

次の表から確実にいえるのはどれか。 【特別区】

酒類の生産量の推移

（単位　1,000kL）

区　分	平成24年度	25	26	27	28
ビール	2,803	2,862	2,733	2,794	2,753
焼ちゅう	896	912	880	848	833
清酒	439	444	447	445	427
ウイスキー類	88	93	105	116	119
果実酒類	91	98	102	112	101

1 平成27年度のビールの生産量の対前年度増加量は，平成25年度のそれを下回っている。

2 表中の各区分のうち，平成25年度における酒類の生産量の対前年度増加率が最も小さいのは，焼ちゅうである。

3 平成24年度のウイスキー類の生産量を100としたときの平成26年度のそれの指数は，120を上回っている。

4 平成25年度から平成28年度までの４年度における果実酒類の生産量の１年度当たりの平均は，10万3,000kL を上回っている。

5 表中の各年度とも，ビールの生産量は，清酒の生産量の6.2倍を上回っている。

解説

正答 4

❶ × ビールの生産量の対前年度増加量は，平成27年度が2794－2733＝61，平成25年度は，2862－2803＝59であり，27年度が25年度を上回っている。

❷ × 対前年度増加率は焼ちゅうの場合，912÷896≒1.018より，約1.8%であり，これに対し，清酒は，444÷439≒1.011より，約1.1% の増加率であり，焼ちゅうより清酒のほうが増加率は小さい。

❸ × 88×1.2＝105.6 > 105 であり，指数は120未満である。

❹ ○ 正しい。表において103を基準とすると，－5－1＋9－2＝＋1 であり，平成25年度から平成28年度までの４年度における果実酒類の生産量の１年度当たりの平均は，10万3,000kLを上回っている。

❺ × 平成26年度の場合，447×6.2>2770>2733となり，清酒の生産量の6.2倍に満たない。

もう１点GET ＋α

「計算しやすさ」に着目する

実数の表の問題で，いろいろな計算をしないと選択肢を絞れないときには計算に要する時間がそれぞれで違うので，「**対前年○○額（率以外）**」→「**平均**」→「**指数**」→「**割合**」→「**対前年○○率**」→「**その他わからない選択肢**」の順で選択肢を検討すると効率的である。

計算しやすい選択肢から解いていくことで，圧倒的にスピードが変わってくるよ。

120から150に増えたとき，増加率はいくらか。

25% 150－120＝30増加しているので，30÷120＝0.25⇒25%

16章 資料解釈 44 実数

45 割合

ここだけ 1 構成比

円グラフの問題がメインとなる。

円グラフの場合，総数が中心に書かれているが，そのまますべての項目を細かく計算していくと時間がかかってしまうので，**指数**を使うと解きやすい。

持家の増加率はおよそいくらか。

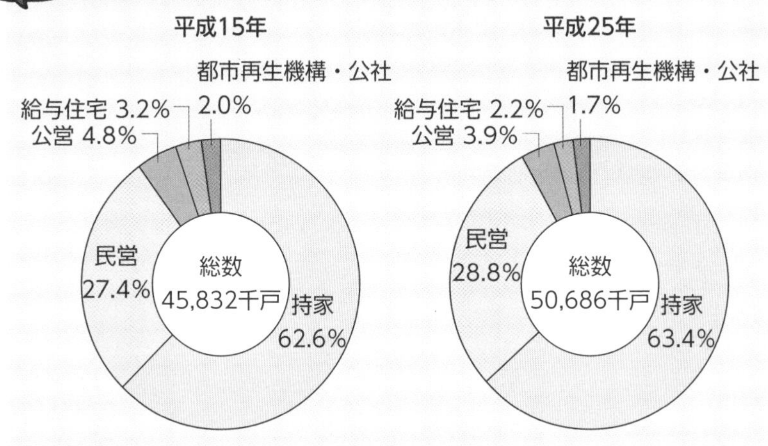

このような対比の円グラフがあれば，平成15年の総数を**指数100**とすることで，それぞれの%をそのまま実数のように考えることができる（持家→62.6，民営→27.4，…のようになる）。

この場合，平成25年は50686÷45832＝1.10…となることから，**指数110**としてしまう。なのですべての%を1.1倍することで，そのまま実

数のように考えることができ（持家→63.4×1.1≒69.7，民営→28.8×1.1≒31.7…のようになる），

持家の増加率は $\frac{69.7-62.6}{62.6}=\frac{7.1}{62.6}$≒11.3〔%〕となる。 **A. 約11.3%**

この解き方ならば，実数をそれぞれ明確に出さずに計算できる。

② 対前年増加率の推移

対前年増加率の推移の問題は主に，表か折れ線グラフで出題される。

2019年の売上げを100万円としたときの2023年の売上げはいくらか。

ある店の売上げの2019年を基準とする対前年増加率の推移（%）

（△はマイナスを表す）

2019年	2020年	2021年	2022年	2023年
	5％	12%	△９％	９％

2019年の売上げを100万円としたときの2023年の売上げは，以下のような式で表せる。

1,000,000×（1＋0.05）×1.12×0.91×1.09＝

1,000,000×1.1664744＝1,166,474.4

A. 1,166,474.4円

> 近似法
> 計算が煩雑で，時間がかかってしまう場合は近似法を使うのが有効。

近似法→ある程度小さい%なら，年々における%の増減をそのまま加算減算しても数値に大きく影響しないという考え方。

たとえば上記の問題なら，５％＋12%－９％＋９％＝17%

2023年の売上げは，1,000,000×1.17＝1,170,000となり，あまり元の数字と変わらないことがわかる。ただ，20%を超えるような計算になってくると，数字の誤差が大きくなるので，使用する際は要注意。

厳選問題

次の表から確実にいえるのはどれか。 【特別区】

自家用旅客自動車のガソリン燃料消費量の対前年度増加率の推移

(単位　%)

種　　別	平成26年度	27	28	29
バス・特種	△6.8	1.2	△3.4	0.8
普通車	△7.2	△1.5	△1.7	△0.2
小型車	△8.9	△6.8	△4.7	△5.9
ハイブリッド車	27.0	17.9	13.6	13.8
軽自動車	2.3	0.9	3.9	2.6

(注)△は，マイナスを示す。

1 平成29年度において,「バス・特種」の燃料消費量および「軽自動車」の燃料消費量は，いずれも平成27年度のそれを上回っている。

2 表中の各種別のうち，平成28年度の燃料消費量の「合計」に占める燃料消費量の割合が，前年度のそれより大きいのは,「普通車」だけである。

3 平成26年度の「小型車」の燃料消費量を100としたときの平成29年度のそれの指数は，90を上回っている。

4 「ハイブリッド車」の燃料消費量の平成26年度に対する平成29年度の増加率は,「軽自動車」の燃料消費量のそれの６倍より大きい。

5 表中の各年度のうち,「バス・特種」の燃料消費量が最も少ないのは，平成26年度である。

解説

正答 4

❶ ×

「バス・特種」の場合，平成27年度を100とすると，
平成29年度は，
$100\times(1-0.034)\times(1+0.008)\fallingdotseq 100\times(1-0.034+0.008)$
$=100\times(1-0.974)<100$
であり，27年度を下回っている。

❷ ×

平成28年度における「普通車」は対前年度比1.7%の減少である。これで平成28年度の燃料消費量の「合計」に占める燃料消費量の割合が，前年度より大きいのならば，対前年度比がプラスである「ハイブリッド車」「軽自動車」の前年度より大きくなっていなければならない。

❸ ×

$100\times(1-0.068)\times(1-0.047)\times(1-0.059)$
$\fallingdotseq 100\times(1-0.068-0.047-0.059)$
$=100\times 0.826<90$より，90を下回っている。

❹ ○

正しい。「ハイブリッド車」の燃料消費量の平成26年度に対する平成29年度の増加率は，
$(1+0.179)\times(1+0.136)\times(1+0.138)\fallingdotseq 1{,}524$より，約52.4%である。
「軽自動車」の場合は$(1+0.009)\times(1+0.039)\times(1+0.026)\fallingdotseq 1.076$より約7.6%である。
$7.6\times 6\ 45.6<52.4$より，6倍を超えている。

❺ ×

$(1+0.012)\times(1-0.034)<1$より，平成28年度は平成26年度より少ない。

check!

次にやる本 ガイド

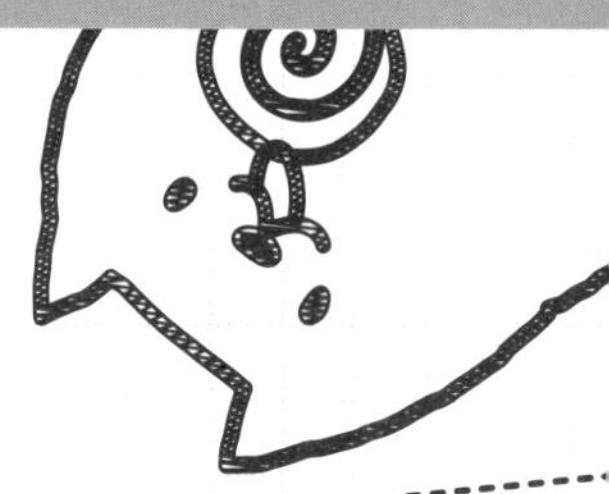

地方上級／国家総合職・一般職・専門職
公務員試験
新スーパー過去問ゼミ7
社会科学
政治 経済 社会
[増補版]
新傾向の国家公務員試験を大特集！
受験対策の王道
450万部突破！
■ 公務員試験過去問題集のNo.1ブランド
■ 令和3～5年度の問題を加えて全面改訂！
資格試験研究会編 実務教育出版

新スーパー過去問ゼミ７シリーズ

国家総合職，国家一般職［大卒］，国家専門職［大卒］，地方上級（全国型・東京都・特別区），市役所の過去15年間の出題傾向を詳細に分析し，良問をセレクト。志望試験に合わせてよく出ているテーマを重点的に学習できます。

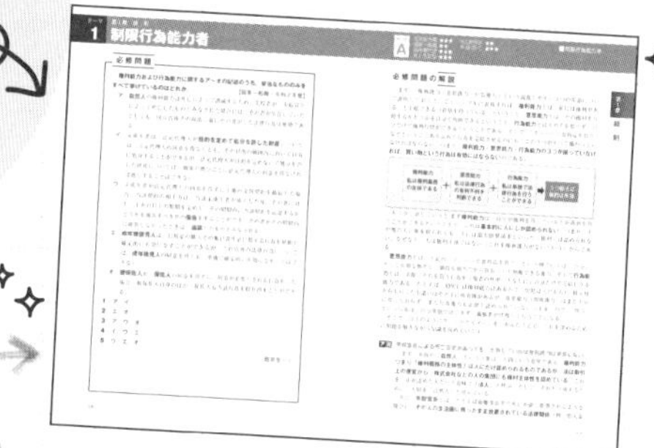
1 制限行為能力者
必修問題
必修問題の解説

特に学習効果の高い問題にはダイヤマークが付いています。
ダイヤマーク付きの問題を解いていけば，各科目の学習をスピーディーにひととおりこなせるようになっています。

過去問にはそれぞれ「難易度」がついているので，まずは必修問題から解いていく，難問は最初から除外するなど，効率よく学べます。

全22点

人文科学

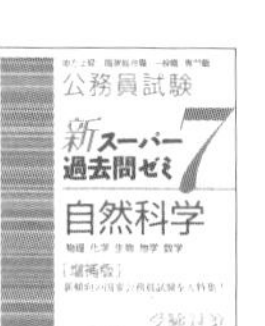
自然科学

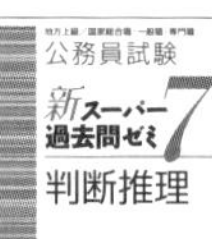
判断推理

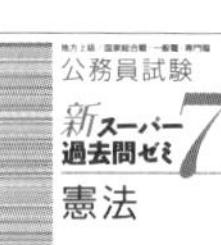
憲法

民法Ⅰ

科目一覧 社会科学，人文科学，自然科学，判断推理，数的推理，文章理解・資料解釈，憲法，行政法，民法Ⅰ，民法Ⅱ，刑法，労働法，政治学，行政学，社会学，国際関係，ミクロ経済学，マクロ経済学，財政学，経営学，会計学，教育学・心理学

合格の500シリーズ
【年度版】

過去問約500問（一部の試験は約350問）を掲載。たくさん過去問を解きたい人にピッタリです。問題を解くことで実力を強化できます。問題・解説をセットで収録しているので，反復学習しやすい構成です。

一覧 地方上級教養試験，地方上級専門試験，大卒警察官教養試験，東京都・特別区［Ⅰ類］教養・専門試験，大卒・高卒消防官教養試験，市役所上・中級教養・専門試験

速攻の時事／速攻の時事 実戦トレーニング編
【年度版】 電子版あり

数々の白書・政府刊行物，公的な統計，官公庁の施策，政治・経済や社会の動向など実際に公務員試験に出ている最新情報を徹底的にチェックし，ポイントをギュッと凝縮して簡潔な文章でまとめた唯一無二の公務員試験向け時事テキストです。

姉妹版の『公務員試験 速攻の時事　実戦トレーニング編』で問題演習をすれば，より効果的です。

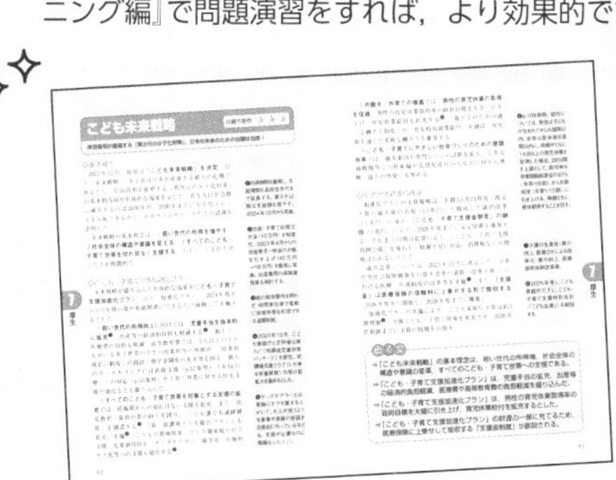

図形・空間把握の過去問

資格試験研究会○編
永野龍彦○執筆

講師力でスカッと解決!
☑苦手意識を克服できる
☑短期間で正誤のポイントを押さえられる
☑問題を解くスピードが上がる

実務教育出版

集中講義シリーズ

時間をかけずに学べるので，初めて学ぶ人にも，試験間近で追い込みをかけている人にも役立ちます。

実力派講師が実戦的な解き方を伝授しており，問題を解くスピードをアップさせるコツやテクニックが満載です。ほかの過去問集をメインに使っている方も，一読の価値アリです！

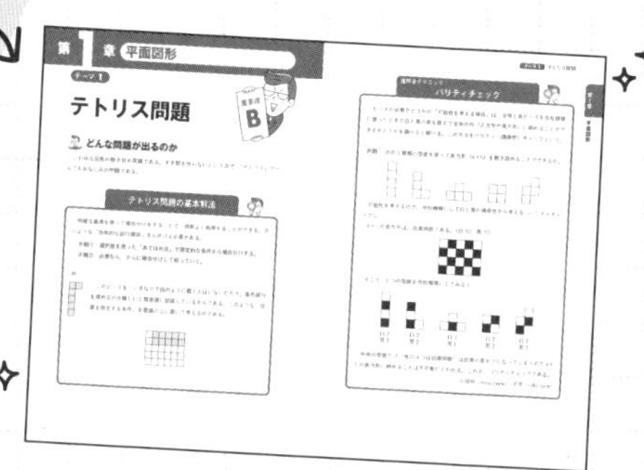

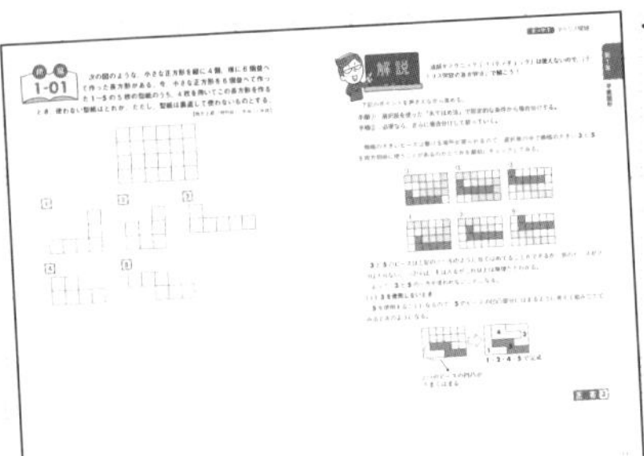

見開きで問題と解説が近く，両方を参照しやすい作りです。補足解説とワンポイントアドバイスで独学でもつまずかないよう，しっかりフォローしています。

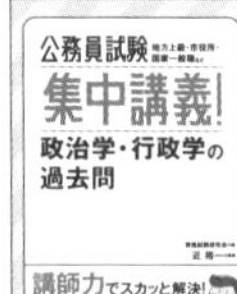

科目一覧 判断推理，数的推理，図形・空間把握，文章理解，資料解釈，憲法，行政法，民法Ⅰ，民法Ⅱ，政治学・行政学，国際関係，ミクロ経済学，マクロ経済学

新・光速マスターシリーズ

社会科学，人文科学，自然科学の要点整理集です。暗記用赤シートを活用して重要事項を効率的にマスターできます。「新スーパー過去問ゼミ」シリーズとの併用もおすすめです。

科目一覧 社会科学，人文科学，自然科学

一問一答 スピード攻略 社会科学／人文科学

「要点チェック」と「一問一答」が１冊になりました。「要点チェック」で広い出題範囲を最短・最速で攻略し，「一問一答」ではクイズ感覚で問題演習ができます。ハンディサイズなので移動時間の活用にも最適です。

社会科学，人文科学

判断推理／数的推理がわかる！新・解法の玉手箱

算数・数学を忘れている受験者でも取り組めるザセツ知らずの親切問題集です。他の問題集ですぐギブアップしてしまったような受験生でも，算数・数学の「カン」を取り戻しつつ，ひととおり学べるようになっています。

判断推理，数的推理

受験ジャーナル

【定期号６冊，特別企画５冊，別冊１冊】 電子版もあり

公務員試験対策の分野では唯一の情報誌です。各種の公務員試験の分析や最新の試験情報，合格体験記など，時期に合わせて，合格に不可欠な情報をお届けします。

定期号に加えて，特別企画にも役立つ情報がたくさん掲載されています。

一覧 受験ジャーナルVol.1～6，学習スタートブック，公務員の仕事入門ブック，国立大学法人等職員採用試験攻略ブック，直前対策ブック，面接完全攻略ブック，直前予想問題

寺本康之の面接回答大全【年度版】

公務員試験で強まる「人物重視」の傾向に対応した，実用性の高い面接対策本です。面接カードの定番項目について，回答フレーム（シンプルな型，テンプレート）を使った簡単で再現可能性の高い手法を伝授。さらに，よく聞かれる質問＆回答例も豊富に収録しています。

採点官はココで決める！シリーズ【年度版】

公務員試験であまたの受験生を見てきた元採点官が，「本当に受かるために必要なツボ」を教えます。少子化対策，防災対策などの定番テーマから，リカレント教育，DX，SDGsなどの旬なテーマまで，公務員試験ならではの視点で解説します。

合格論文術，合格面接術

現職人事シリーズ

中央官庁の職員採用に携わってきた著者が面接官の心の内を大公開しています。「この人と一緒に働きたい！」と思わせる方法がわかるノウハウが満載です。

公務員になりたい人へ【年度版】，
自己PR・志望動機・提出書類，面接試験・官庁訪問

著者

寺本康之（てらもとやすゆき）

本書の社会科学，人文科学，文章理解の執筆を担当。

大学院生の頃から公務員試験の講師を始め，現在は全国生協学内講座，EX-STUDY，スタディングなどで教鞭をとる。法律系，行政系，小論文，面接など幅広い科目を担当。「公務員試験 受験ジャーナル」（実務教育出版）にも多数の記事を執筆している。著書に『寺本康之の小論文バイブル』（エクシア出版），『わが子に公務員をすすめたい親の本』『公務員試験　寺本康之の面接回答大全』（ともに実務教育出版）など。

メッセージ

現在の公務員試験は，昔と異なり「コスパ」「タイパ」さえ意識できれば十分合格可能です。本書では，近時の出題傾向を徹底的に分析し，本試験で問われる知識だけをギュギュっとまとめてみました。本書を使って，短期間でサクッと合格をめざしましょう。

松尾敦基（まつおあつき）

本書の自然科学，判断推理，数的推理，資料解釈の執筆を担当。

中学・高校数学の教員免許を取得後，大手予備校の数学講師になり人気を集める。現在は大学で授業を行っており，わかりやすい説明と持ち前の熱意で，公務員試験に多数の合格者を輩出している。「公務員試験 受験ジャーナル」（実務教育出版）においても記事を執筆している。

メッセージ

この一冊で読者の皆様が，公務員試験を最短で攻略できるように，あらゆる無駄をそぎ落とし，頻出単元ばかりを集めました。是非，この本で効率的に勉強していきましょう！

●本書の内容に関するお問合せについて

本書の内容に誤りと思われるところがありましたら，まずは小社ブックスサイト（books.jitsumu.co.jp）中の本書ページ内にある正誤表・訂正表をご確認ください。正誤表・訂正表がない場合や，正誤表・訂正表に該当箇所が掲載されていない場合は，書名，発行年月日，お客様のお名前・連絡先，該当箇所のページ番号と具体的な誤りの内容·理由等をご記入のうえ，郵便，FAX，メールにてお問合せください。

〒163-8671 東京都新宿区新宿 1-1-12 実務教育出版 第二編集部問合せ窓口
FAX：03-5369-2237 E-mail：jitsumu_2hen@jitsumu.co.jp

【ご注意】

※電話でのお問合せは，一切受け付けておりません。

※内容の正誤以外のお問合せ（詳しい解説·受験指導のご要望等）には対応できません。

本文デザイン＆イラスト：熊アート
カバーデザイン：マツヤマ チヒロ

地方公務員
寺本康之の超約ゼミ 大卒教養試験 過去問題集［2026年度版］

2024年11月30日 初版第1刷発行 〈検印省略〉

著 者 寺本康之
松尾敦基
発行者 淺井 亨

発行所 株式会社 実務教育出版
〒163-8671 東京都新宿区新宿1-1-12
☎編集 03-3355-1812 販売 03-3355-1951
振替 00160-0-78270
組 版 明昌堂
印 刷 文化カラー印刷
製 本 東京美術紙工

ISBN 978-4-7889-7803-4 C0030 Printed in Japan